D0121502

LE BOULEAU
ET L'ÉPINETTE

LOUIS CARON

LE BOULEAU
ET L'ÉPINETTE

Les Chemins du Nord **

ÉDITION DU CLUB QUÉBEC LOISIRS INC.
© Avec l'autorisation des Éditions L'Archipel/Édipresse
© Éditions L'Archipel/Édipresse, 1993
Dépôt légal — Bibliothèque nationale du Québec, 1994
ISBN 2-89430-127-8
(publié précédemment sous ISBN 2-909241-40-8) (L'Archipel)
(publié précédemment sous ISBN 2-980284-91-2) (Édipresse)

À Françoise et Maurice Segall,
mes amis du Gers
pour qui le Québec
est une façon de vivre.

1.

Un après-midi de juin, Henri Ramier prit un canot léger et partit seul en forêt. Il emportait des couleurs, des pinceaux, de la toile et des cadres de bois pour la tendre. Un chevalet aussi.

– Je vais pratiquer mon métier, avait-il annoncé.

Depuis son arrivée au Canada, deux mois plus tôt, il avait été pris en charge par des gens bien intentionnés, du lever du jour à la nuit tombée. Par l'abbé Tessier d'abord, qui l'avait entraîné jusqu'au bout de la Gaspésie. Par Félix Métivier aussi, qui avait déployé toute l'exploitation forestière de la Mauricie devant lui comme une tapisserie. Ramier en avait la tête qui bourdonnait. Il lui tardait de regarder la nature dans les yeux.

Il avait aussi envie de vérité. Pendant une semaine, le député Albéric Manseau avait vécu aux frais de Félix Métivier, se levant de table pour aller se promener en fumant des cigarettes sur les sentiers, après quoi il avait publié un article vengeur dans *Le Nouvelliste* pour dénoncer les conditions de travail des forestiers de la Mauricie. Attaque sans fondement, faite dans le seul but de flatter les électeurs. L'incident avait dégoûté Ramier.

Henri portait aussi un secret. Le Gers lui manquait,

ses vallons dorés, ses collines calcaires, l'Adour et sa maison, cet endroit unique au monde où l'on est chez soi.

La peinture enfin. Depuis trente ans, Henri Ramier recréait le monde chaque jour sur sa toile. Cela laisse une insatisfaction. Ni la réalité ni sa représentation ne vous comblent. Seule continue de vous emporter la volonté d'exprimer l'impossible.

Le soleil ronronnait comme un gros chat. La rivière étreignait des collines d'épinettes. Des bouleaux dansaient dans la lumière. Il n'y aurait plus jamais d'hiver.

Le canot filait sur l'eau lisse, le sac de Ramier comme un compagnon fidèle à l'avant de l'embarcation, de la nourriture, une couverture, une hache et des allumettes, de quoi s'attarder en forêt le temps qu'on voudrait. Vers midi, Ramier s'arrêta pour bivouaquer.

Il avala son corned-beef sur du pain sans se donner la peine de faire du feu, but un peu d'eau de la rivière, bourra sa pipe de ce tabac canayen qui l'enivrait à l'étourdir, s'en fut prendre son matériel dans son canot, chercha l'endroit où il ferait enfin rendre sa vérité à la nature. Contourna une côte grimaçante. Gravit une pente abrupte, se laissa attirer par le bruit de l'eau qui coulait, découvrit une source basculée bientôt en cascade fraîche au-dessus de la falaise. Henri se retrouvait sans l'avoir cherché en un lieu sacré où chaque brin d'herbe lui rappelait les heures heureuses qu'il y avait connues plus tôt.

Dès leur première rencontre, Mathilde Bélanger, une fleur sauvage de vingt ans, ronde et rieuse, les nattes noires virevoltant autour de son sourire, avait mis les mains du peintre sur ses seins. Lui avait ouvert la porte de son intimité. Ramier avait vu en elle l'incarnation du Nouveau Monde.

Il cala les pieds de son chevalet dans l'humus, garnit sa palette d'un arc-en-ciel clair, enfonça son pinceau dans la pâte, un mousquetaire avec son épée devant le paysage, marqua la toile d'une première touche de lumière. Au bout d'une heure, la couleur chantait.

Il recula pour mesurer l'effet. La rivière était un cri, la montagne un effort, le ciel tourmenté de nuages une lutte. L'ensemble plaidait la cause de l'homme dans l'univers, la volonté de s'inscrire parmi les forces naturelles. Henri se retourna. Mathilde l'observait.

Elle portait sa robe blanche piquée de petites fleurs roses et mauves, les pieds devant elle comme deux enfants sages, assise sur l'herbe chaude, le poids du corps porté sur une seule main posée sur le sol, les yeux gourmands et la bouche entrouverte sur un sourire.

– Vous avez mis le soleil dans la rivière, dit-elle.

Et elle rit. Henri en fut chaviré. Il marcha vers elle. Chacun de ses pas lui résonnait dans le cœur. Elle lui tendit les mains. Il l'aida à se relever. Elle était un peu plus grande que lui.

– Ça fait longtemps que je vous attendais, ajouta-t-elle.

Il frémit. Ses mains vibraient dans celles de la jeune fille. Leurs yeux tenaient déjà une conversation à part. Il l'attira à lui.

– Je n'ai pas oublié, murmura-t-il.

– J'avais hâte de voir, poursuivit-elle, quelle sorte de peinture vous faites. Je craignais d'être déçue...

– Et alors ?

– C'est encore plus beau que je pensais.

En guise de réponse, il l'embrassa. Ils flambèrent d'un seul coup. Des gestes de noyés. Des soupirs sans fond. Elle le retint.

– Attends.

Elle l'entraîna au sommet du plateau, à proximité de la cascade. Elle y avait fabriqué une hutte de branchages. Les oiseaux ne font pas autrement. Ils s'allongèrent en luttant contre leurs vêtements. Ils s'étreignirent pour ne pas mourir. La science de leurs corps fit le reste. Ils se retrouvèrent éblouis dans leur contentement. La terre tournait en emportant leur fièvre. Ils recommencèrent à vivre à petits gestes tendres, une main au creux du cou, un baiser sur l'épaule, avec des sursauts qui faisaient fondre leur souffle à nouveau. Leur nudité les enchantait. Ils rirent. Des mots qui ne sauraient jamais dire la splendeur de leur émotion.

– Je t'aime.

– Moi aussi je t'aime.

– Qu'est-ce qu'on va devenir ?

– Rester là pour l'éternité.

Parole imprudente, chargée de vérité.

– J'ai peur, dit-elle.

Il la regarda sans comprendre.

– Aimer, expliqua-t-elle, ça je sais le faire aussi bien que toi, mais parler, je sais pas. Peindre encore moins. Ce sera pas long tu vas trouver que je suis une belle dinde !

Il en fut tout chagrin. Il lui pressa les mains.

– Veux-tu bien te taire, commença-t-il d'un ton de reproche, tu es la fille la plus vraie que j'aie connue !

– C'est vrai, dans ton pays, tu as dû en connaître pas mal !

– Moins que tu le crois !

Elle se blottit contre lui comme si elle avait froid. Il lui sourit tristement.

– Si tu veux seulement m'écouter un peu, je vais te dire une chose d'importance. Je t'aime pour vrai, pour de bon, comme un homme aime une femme, c'est-à-dire comme pour la première fois.

– Pourquoi ? supplia-t-elle incrédule.

– Parce qu'à mes yeux tu incarnes la pureté.

Mathilde ramena ses bras sur ses seins.

– Je couche avec toi chaque fois que je te vois, et tu dis que je suis pure ?

– Justement ! insista-t-il, tu as l'innocence des grandes forces primitives. La rivière ne fait pas le mal quand elle noie un draveur. On ne peut reprocher au vent de déraciner les chênes, pas plus qu'on ne doit tenir rigueur au soleil de brûler les récoltes en été. Chacun porte en soi les excès de sa puissance. Et toi, tu as la beauté toute franche de la vie ! Ne t'avise surtout pas d'en changer d'un iota !

Mathilde sourit comme on le fait quand on n'a pas tout compris. Elle tendit les bras, ses seins comme des promesses.

– Tu parles trop, dit-elle, mais ça me rassure.

Il l'étreignit pour lui faire entendre tout ce dont les mots étaient incapables, puis ils s'allongèrent de nouveau et leur ferveur flamba de plus belle. Quand ils émergèrent de la hutte, on était au beau milieu du jour. Cette fois, ils avaient pris la peine de se vêtir.

Pour se raccrocher au réel, il reprit sa palette. Du bout du pinceau il chercha la couleur exacte. Il retoucha la rivière et le regretta. Il en avait atténué la violence. Mathilde était dans son dos.

– Ça te dérange de parler pendant que tu peins ? demanda-t-elle.

– Pas du tout...

– Tout à l'heure, quand tu étais dans mes bras, tu as fermé les yeux et j'ai vu les traits d'un petit garçon sur ton visage. Il avait l'air pas mal espiègle à part ça ! Je me trompe ?

Pendant qu'il pétrissait le paysage à pleines mains, Henri évoqua un village rond, une maison chaude, un père à moustache, une mère tendre et un enfant heureux.

– Tu savais que tu deviendrais peintre ?

– Je voulais être ingénieur. Bâtir des ponts comme monsieur Eiffel.

– Celui qui a fait la tour ?

Henri raconta son premier voyage à Paris. Il y était né, mais sa famille avait quitté la capitale avant qu'il ait atteint l'âge d'un an. Pour ses retrouvailles avec la Ville-Lumière, sa mère l'avait vêtu d'un costume de marin et de bottines à boutons. C'était en 1900. Le petit Henri avait déjà onze ans. Un an de plus que la tour Eiffel, justement. Après maints avertissements d'usage et force remontrances anticipées, la mère avait entraîné l'enfant dans le *Métropolitain* qui venait tout juste d'entrer en fonction. Un chemin de fer sous la terre au cœur de la ville ! Puis ils avaient assisté, éblouis, à une représentation de Guignol. Henri avait été gavé de glace à la framboise. On avait logé chez une tante, rue de la Tombe-Issoire, au cinquième étage, dans le quatorzième arrondissement. On avait installé le petit sur un divan au salon

Pendant la nuit, Henri s'était faufilé sur le balcon et était resté longtemps à écouter le grondement de la ville qui ne dormait jamais. Et maintenant Henri Ramier éveillait l'écho de cette enfance toute française au cœur de la Mauricie québécoise, en compagnie d'une jeune fille qui lui ouvrait son cœur. Mathilde avait appuyé son menton sur l'épaule du peintre.

– Tu ne restes pas à Paris ?

– J'habite la province...

– Il me semblait aussi !

– ...depuis mon tout jeune âge, ma famille s'est transplantée dans le Sud-Ouest. D'abord à Mont-de-Marsan. Une bonne petite ville au milieu de la campagne ondulée. C'est à la limite des Landes. Mon père y tenait ce que vous appelez un magasin-général. J'ai grandi parmi les tonneaux et les chevaux, les clous et le fil de fer.

– Pourquoi t'es pas devenu ingénieur comme ton monsieur Eiffel ?

– À cause d'une crue de la rivière...

Henri sentait bien l'incongruité de cette explication. Il sourit en enchaînant.

– En fait, il s'agit de deux petites rivières, oh ! rien de bien important. Ici on dirait des ruisseaux, la Douze et le Midou, qui traversent la ville dans un seul lit. Un printemps, elles ont débordé pour envahir tout un quartier de la ville. Au magasin de mon père, il y avait de l'eau à mi-porte. Les entrepôts étaient noyés. Ma mère en est tombée malade. Elle est morte six mois plus tard. Mon père a vendu le magasin. Moi j'étais à Paris. Je venais d'entrer à l'École des Ingénieurs. L'inondation et la guerre ont eu raison de ma vocation.

Henri avança doucement la main pour toucher la tête de Mathilde qu'il pressa contre la sienne, puis il se tourna face à elle. Déjà les lèvres de la jeune fille s'arrondissaient pour un baiser, mais le peintre encadra le visage de Mathilde de son autre main et la regarda dans les yeux.

– Tu ne sauras jamais ce que j'ai souffert à la guerre.

Elle souffrit avec ses yeux pour le conforter.

– Tu vois cette main ? poursuivit-il.

Il la faisait voler dans l'air comme un papillon.

– J'ai failli la perdre avec le bras auquel elle est attachée.

Mathilde s'empara de cette main et la pressa contre sa poitrine.

– Un de mes compagnons avait été atteint, continua Henri. Je me suis dressé au-dessus de la tranchée pour le secourir. J'ai reçu trois balles dans l'épaule et le bras. Six mois de convalescence, pour la guérison physique du moins. En ce qui concerne le cœur et l'esprit, je crois que j'en suis toujours à me remettre du *Chemin des Dames*.

– C'est un trop joli nom pour y faire la guerre ! déplora Mathilde.

Mais déjà Ramier reprenait position devant son chevalet. Cette fois, sa compagne se planta devant lui, de façon à mieux l'observer pendant qu'il parlait.

– Après, je n'ai plus eu envie de devenir ingénieur. J'ai voulu faire de l'enseignement. Pour voyager. Je rêvais d'Afrique comme d'autres de Légion étrangère. Mais mon père dépérissait de peine dans la solitude. Je suis rentré pour le soutenir. Et c'est mon propre sauvetage que j'ai effectué.

Depuis quelques temps, Henri donnait de vigoureux coups de pinceau sur sa toile. Mathilde ne pouvait juger de l'effet que cela produisait, se trouvant derrière le chevalet, mais elle devinait qu'il se passait des choses importantes dans la reconstitution du monde à laquelle le peintre se livrait devant elle.

– J'ai acheté une maison, le Guibourg, dans la commune de Riscle. Au beau milieu du Gers. Une grande demeure avec des dépendances. Et nous avons entrepris, mon père et moi, de refaire surface vers la vie. Lui, au bout de son âge, moi, au commencement du mien.

Le visage de Mathilde avait pris une expression d'extrême tendresse.

– Le Gers, enchaîna Henri, ce sont de doux vallonnements dans un pays vert et or avec des châteaux sur les collines. Les berges de l'Adour sont serties de saules fous. En été, on la traverse sur des bancs de gravier. Aux hautes eaux, elle a trois kilomètres de largeur, mais peu de profondeur. L'hiver, il pleut de bon appétit, mais les précipitations sont rares en été. Une terre de consolation. Il y a d'ailleurs de plus en plus d'étrangers qui viennent prêter leurs bras à l'agriculture, des Espagnols et des Italiens. C'est en même temps un pays où l'on peut marcher toute une matinée sans rencontrer âme qui vive. Le Gers est sans doute le département français le moins densément peuplé.

Mathilde l'écoutait comme on lit dans un livre. Elle essayait de faire des images avec ses mots.

– Entre la Fête des fleurs de Riscle et les courses de vaches landaises à Nogaro, dit-il encore, le foie gras et les petits verres d'armagnac, nous marchions vers la guérison.

17

– Tu ne travaillais pas ? demanda Mathilde.

– En vendant le magasin, mon père avait constitué un petit pécule. Pour ne pas trop entamer ce capital, je jouais de la trompette en toutes les occasions où l'on est disposé à payer un musicien.

– Et la peinture ?

– J'en avais toujours un peu fait. Du front, j'avais rapporté des croquis. Les premiers temps, à Riscle, j'en tirais des toiles sombres que je peignais la nuit. Devant l'horreur de ce qu'elles représentaient, je ne les montrais à personne. Aujourd'hui, ceux qui ont vu ces œuvres les classent dans ma période hallucinée.

– Heureusement que tu ne peins plus comme ça, soupira Mathilde, j'aurais pas pu t'aimer ! Je peux bien supporter un peu de tristesse, ça donne même du piquant à la vie, mais la douleur je peux pas.

– Rassure-toi, s'empressa de répliquer Henri, l'abbé Tessier m'a dit, l'autre jour, que je faisais maintenant des œuvres de lumière.

Cette allusion à la réalité des gens qui encadraient son séjour en Mauricie tira Ramier du rêve qu'il vivait depuis le matin. Il posa sa palette et son pinceau sur l'herbe. Se rejeta les reins en arrière, pour se détendre tout autant que pour juger de l'effet de son travail.

– Il faut maintenant que je rentre, annonça-t-il.

D'un saut, Mathilde fut à ses côtés.

– Non ! Attends !

Elle le tenait à deux mains par le bras. Elle opposait à sa volonté un sourire chargé de tristesse. Mais Henri ne semblait pas s'occuper de sa détresse. Il laissait ses yeux fixés sur sa toile. Mathilde finit par se retourner pour regarder aussi.

Sur la toile du peintre, il y avait maintenant une maison au bord de la rivière. Et cette maison n'appartenait pas au paysage qu'ils avaient tous deux sous les yeux. Son toit de tuiles rouges, ses murs de calcaire doré, la disposition de ses dépendances montraient à l'évidence qu'elle relevait d'un autre monde. Henri avait peint Le Guibourg de mémoire, l'intégrant au paysage de la Mauricie. Il le révéla à sa compagne.

– Je vais l'intituler *Le Rêve de Mathilde*. De cette façon on saura dans cent ans que je t'ai aimée.

Cette proposition ne sembla pas satisfaire Mathilde dont le visage continua de s'assombrir.

– Je ne veux pas que tu partes.

Henri regarda le soleil.

– Il me reste deux heures de lumière. Il m'en faut à peine une pour retourner au Panier Percé. Je te donne l'autre.

Et il éclata d'un bon rire que Mathilde attrapa au vol.

– Je vais te faire à manger, décréta-t-elle.

Elle fut tout de suite emportée dans la joie de ses gestes. Elle avait dissimulé des provisions près de la hutte, sous des fougères fraîches. Les ustensiles apparaissaient soudain dans sa main comme si elle s'était trouvée dans sa cuisine. Henri avait dressé le feu. Bientôt la soupe chantonna.

Il y a deux façons de tout donner quand on est amoureux. D'abord on ouvre son corps, ensuite on partage les gestes quotidiens. Verser la soupe dans le bol d'un homme qu'on aime, effleurer sa main avec son pouce en le lui tendant, le regarder manger en portant soi-même sa cuillère à sa bouche, constituent des plaisirs aussi exquis que les soupirs et les exclamations d'extase des étreintes. Car les gestes sont la monnaie de la vie.

Pendant qu'elle desservait, rangeait et ordonnait, Mathilde parlait pour faire oublier le temps à son compagnon. Henri se faisait le complice de cette manœuvre. Il s'était allongé près du feu. Il fumait sa pipe en regardant le soir se jouer de lui.

— Tu m'as toujours pas dit comment tu es devenu peintre pour de bon, fit-elle observer.

Il tisonna le feu avec une branche pour ranimer son récit.

— Ma vocation je la dois à un homme d'une autre époque. Il se nommait Aristide Froment. Il vivait enterré dans un village à une vingtaine de kilomètres de chez moi. Il peignait à la manière des grands maîtres du dix-neuvième siècle, indifférent aux progrès de l'art. Si son œuvre ne m'inspirait pas, j'avais grand respect pour l'homme, sa ténacité et son indifférence aux bruits du siècle. Je lui ai montré mes tableaux. Avec une infinie douceur, il m'a renvoyé à mes pinceaux. Ses paroles, si mesurées qu'elles fussent, constituaient les coups de pied au derrière dont j'avais besoin. J'ai suivi ma voie. Je faisais jaillir des coulées fulgurantes de rouges, de jaunes, de bleus et de verts directement sorties du tube. On m'a traité de tous les noms, comme tous ceux qui avaient osé faire évoluer la technique picturale avant moi. J'ai poursuivi, indifférent aux aboiements des critiques. Je n'avais rien à perdre puisque je n'entendais pas tirer ma subsistance de mon art. Pour vivre, je continuais à jouer de la trompette. J'ai connu le grand Matisse. Le fougueux Picasso. Fréquenté les salons.

20

Hanté les cafés. Puis je me suis souvenu des leçons du vieux maître. Je suis rentré chez moi. Et je n'en suis ressorti que pour venir faire ta connaissance ici.

Il se tourna vers Mathilde qui l'avait rejoint près du feu.

— Et toi ? demanda-t-il.

— Oh ! moi, protesta la jeune fille, j'ai été élevée dans le bois ! Comment veux-tu que j'aie quelque chose à raconter ? La fois que j'ai passé Noël chez un de mes frères à Trois-Rivières... Quand j'ai été opérée pour l'appendicite à l'hôpital de La Tuque... C'est à peu près tout...

Il y eut un long silence plus éloquent que les paroles. Ne pas bouger pour savoir que l'on est sur une boule qui tourne. Regarder les étoiles pour connaître sa place. La sensation aiguë d'être inscrit dans l'univers. Mais il se faisait tard. Henri ne pouvait plus songer à rentrer.

— Bougresse ! gronda Ramier, tu m'as bien eu !

— On a tout ce qu'il faut pour passer la nuit ici, annonça joyeusement Mathilde.

— Tes parents vont te chercher !

— C'est pas la première fois que je passe la nuit dans le bois... Toi aussi, ceux du Panier Percé vont te chercher !

— Je les ai prévenus, en partant, que je m'attarderais peut-être un jour ou deux.

Mathilde battit des mains comme une enfant. Il la pressa contre lui. La rondeur chaude de ses formes prenait appui sur l'angle rude de son flanc. Le feu dansait. Un homme, sans doute le premier habitant de la planète, tenait une femme dans ses bras. Ils baignaient dans la solitude infinie des commencements. Les mots n'avaient pas encore été inventés. Tout juste quelques sensations, un état plutôt, dans lequel ils flottaient au milieu de l'indifférence cosmique. La vie dans son expression la plus simple.

– J'ai lu dans le journal, dit Henri, que l'univers a commencé par une toute petite boule pas plus grosse que le poing. Essaie d'imaginer. C'est avant la nuit des temps. Il n'y a que le vide, à l'exception d'une toute petite boule de matière pas plus grosse que le poing. Et le vide presse cette boule de toutes parts. Il est difficile d'imaginer la pression énorme que peut exercer un vide grand comme l'univers. Quoi qu'il en soit, cette pression est si grande que la boule de matière explose. Des particules de cette matière sont projetées aux quatre coins de l'univers. Dans leur course, ces particules commencent à se reproduire. Elles prennent des formes diverses. Une étoile rouge, une étoile verte. Puis ces étoiles se mettent à filer en tous sens, si vite qu'elles s'échauffent. Songe que les étoiles sont le reflet d'explosions survenues dans la nuit des temps. Leur matière innombrable se répand à son tour dans tout l'univers. À certains endroits, elle se concrétise sous la forme de planètes. La chaleur des planètes génère le feu et l'eau qui à leur tour donnent naissance aux formes primitives de vie. Ainsi peut-on dire que nous sommes tous, toi et moi, les arbres, les animaux, les maisons, les automobiles, ma hache et mon canot, composés de poussières d'étoiles.

Il se tut. La nuit reprit son souffle. Le temps fila comme une eau souterraine. Henri tenait Mathilde embrassée dans une étreinte souveraine. On entendit des pas. Quelqu'un marchait au-delà de la lueur du feu. Mathilde se dressa.

– Qui c'est ?

Le silence, puis d'autres pas.

– Montre-toi la face !

Le visiteur de la nuit s'avança. Ramier s'était levé aussi. Les reflets de la flamme révélèrent un grand jeune homme avec un fusil au bout du bras. Il s'adressa à Mathilde.

– Je le savais qu'on pouvait pas te faire confiance ! Attends que le père et la mère apprennent ça !

Et il s'enfuit à grands bonds de loup-garou. Mathilde et Henri mirent un certain temps à revenir de leur stupeur.

– Qui c'était ? demanda Ramier.

– Mon frère Osias, répondit Mathilde. On n'a pas fini d'en entendre parler !

2.

Félix Métivier officiait dans le grand bureau du Panier Percé. Il mâchouillait sa moustache. L'heure des bilans avait sonné. Deux hommes l'assistaient. Arthur Desruisseaux, un gros à la mine renfrognée, exécutait les basses œuvres. Richard Falardeau, un grand maigre aux dents gâtées, avait des scrupules de religieuse. Le fils de Félix, il se prénommait Jules, assumait à peu près toutes les responsabilités de son père sans en détenir aucune. Une demi-douzaine de commis voltigeaient dans le bureau. Pas de femme. Là-dessus, l'abbé Tessier venait à l'occasion répandre la fumée de son cigare, comme une bénédiction.

– Les chevaux? demanda Métivier.

Falardeau étala un grand livre de comptabilité sur la table pendant que Jules sortait chercher le responsable des chevaux. C'était un petit homme aux longs bras et au dos rond, rude de gestes et de paroles. Il sentait le cheval. Il s'avança.

– Combien? demanda Métivier.

– On a un solde positif de deux cent quatre vingt-douze piastres et cinquante cents, répondit Falardeau.

Métivier se tourna vers le responsable des chevaux.

– T'en as acheté combien ?

– Deux cent six, déclara le petit homme à la voix rude.

– Vendu combien ?

– Deux cent douze.

– T'as baissé l'inventaire ?

– Un cheval qui tousse, j'endure pas ça, expliqua l'homme.

– Il nous en reste combien ?

– Cinq. C'est en masse !

Tout cela ne voulait rien dire. Métivier le savait. Des milliers de chevaux avaient hiverné dans ses exploitations. Les sous-contracteurs fournissaient leurs propres bêtes.

– Le plus cher que t'as acheté, c'était combien ? demanda Métivier.

– Cent quatre-vingt piastres

– Il devait être bon en maudit !

– C'est un joual que j'ai pris chez Baribeau à Saint-Prosper.

– Dans ce cas, conclut Métivier, j'en ai eu pour mon argent. Qu'est-ce que t'en as fait de celui-là ?

– Je l'ai vendu à Louis Jacob pour le même prix.

– C'est pas comme ça que tu vas me faire faire des profits.

Le petit homme ne parut pas ébranlé.

– Le moins cher ? demanda Métivier.

– Quatre-vingt-dix.

Cette fois l'homme des chevaux avait sa chance. Il ne s'en priva pas.

– Ces jouaux-là, à quatre-vingt-dix piastres chaque, je les ai revendus presque le double à Julien Thiffault.

– Pas mal, admit Métivier.

Il s'adressa à son contrôleur.

– Le compte des chevaux, ça roule dans les combien ?

– Autour de trente-cinq mille piastres.

Métivier parut satisfait. Il se tourna vers l'homme des chevaux qui n'avait pas bronché.

– Aurais-tu d'autre chose à nous dire ?

– Si j'avais quelque chose à dire, répondit le petit homme, je m'occuperais pas des chevaux !

Et il sortit d'un pas vif en soulevant sa casquette. Métivier sourit dans sa moustache. La rudesse de cet employé garantissait sa loyauté. Il se frotta les mains en échangeant un regard avec ses collaborateurs.

– Les machines à présent !

Jules introduisit un vieux qui riait tout le temps avec ses yeux, tout en s'essuyant les mains sur sa salopette. Il tendit la main à son patron, ce qui ne se faisait habituellement pas dans ce milieu. Métivier la serra avec franchise. L'homme dégageait une odeur de cambouis.

– Comment ça va, Eddy ?

– Ça va vieux, répondit l'autre de sa voix de chantre.

Métivier rit. Eddy aussi. Métivier mit la main sur l'épaule du mécanicien pour l'entraîner vers la table sur laquelle Falardeau avait tourné la page du grand livre.

– Ça a l'air de quoi les machines, cette année ? demanda le patron.

– Un gros compte, se permit d'intervenir le contrôleur. C'est rendu que le compte des machines est aussi gros que celui des chevaux !

Métivier se pencha sur le grand livre en compagnie d'Eddy qui faisait de gros efforts pour laisser croire à tout le monde qu'il entendait quelque chose à cette nomenclature et à ces colonnes de chiffres. Pour ne pas le mettre dans l'embarras, Métivier se redressa presqu'aussitôt.

— Laisse faire ça Eddy, les chiffres je suis capable de regarder ça aussi bien que toi ! Ce que j'aimerais que tu me dises, par exemple, c'est combien ça pourrait me coûter l'année prochaine si les machines continuent à briser comme cet hiver.

Le vieux semblait tout chagrin.

— J'ai fait tout ce que j'ai pu ! Le vieux Wellys, il tient plus rien qu'avec de la broche ! Un des deux Camel, le F.A.T., le différentiel est en train de lui prendre en pain ! L'autre c'est pas pire ! J'ai un des deux *trucks* Ford, depuis qu'il a versé, il a un faux penchant, mais quand on le sait...

— Ton nouveau tracteur, demanda Métivier, il est pas brisé au moins ? Je l'ai payé presque dix mille piastres !

— Celui-là il va durer vingt-cinq ans, à condition que les gars le mènent pas en fous !

— Le *snowmobile* ?

Quelques années plus tôt, un garagiste ingénieux, Armand Bombardier, avait mis au point un véhicule propulsé par une hélice et dont les chenilles lui permettaient de se déplacer sur la neige. On avait ri, mais Félix Métivier avait été l'un des premiers à se porter acquéreur d'un de ces *snowmobiles*. L'engin roulait sans discontinuer de l'orée de l'hiver aux dernières neiges.

— Le *snowmobile* ! Je prie le bon Dieu en grâce

28

qu'on ait rien que des machines de même ! On pourrait faire la guerre avec ça ! Ça passe partout où il y a pas de chemin ! Ça reste jamais pris ! Ça traîne plus que sa charge ! On *paquète* ça jusqu'au plafond ! Maudit bonhomme, le gars qui a inventé ça ! Y a rien qu'une affaire, ça mène du train comme le diable !

– Qui veux-tu qu'on dérange en plein hiver dans le bois ? fit observer Métivier. N'empêche ! j'ai toujours bien payé quatre cent cinquante piastres pour ça !

– Vous le regretterez jamais ! décréta Eddy.

Félix Métivier était satisfait. Il savait que le vieil Eddy continuerait à faire des miracles sans se plaindre. Il le raccompagna sans ôter sa main de son épaule. Deux fidèles compagnons.

– Si j'avais rien que des hommes comme toi, conclut Métivier, je dormirais plus tranquille le soir.

Eddy regarda son patron dans les yeux.

– On fait ce qu'on peut.

Il sortit tout embarrassé. Métivier interpella l'un des commis.

– Qui va aller nous chercher du café ?

Le jeune homme s'éclipsa sans attendre. Félix Métivier était revenu devant le grand livre. Il s'adressa à son contrôleur.

– En attendant, on pourrait regarder le compte des machines de bureau.

Falardeau chercha la page dans le grand livre. Toutes les inscriptions étaient en anglais. L'explication en était fort simple. Des banquiers de Montréal, et peut-être même de Toronto, examineraient ces bilans. Il ne fallait pas les indisposer, d'où cet usage de l'anglais dans les livres du plus important entrepreneur forestier canadien-français de la Mauricie. Une concession qui ne semblait affecter personne. La machine à écrire s'était tout bonnement métamorphosée en *typewriter*, le coffre-fort en *safe*, les bureaux en *desks*. Mais il n'y avait pas de quoi s'attarder, le *safe*, les *desks* et le *typewriter* ne représentaient qu'une valeur de mille treize dollars et quatre-vingt-huit cents. D'ailleurs, le commis était revenu avec le café. L'abbé Tessier l'accompagnait.

– Batêche ! s'exclama-t-il, on dirait César à la veille de partir pour la guerre des Gaules !

Ils rirent de bon cœur mais tous n'avaient pas assez lu pour apprécier la finesse de l'observation. Chacun tira sa chaise devant le bureau sur lequel était étalé le grand livre que Richard Falardeau venait d'ouvrir à la page de l'actif et du passif. On jeta immédiatement un coup d'œil au bas des deux colonnes de chiffres dont le total était identique et qui reflétait l'envergure des entreprises de Félix Métivier cette année-là. La barre des trois millions de dollars avait été franchie ! Trois millions, quarante-six mille, neuf cent quatre-vingt-dix-sept dollars et vingt-quatre cents. Chacun se rengorgea comme s'il était personnellement responsable de ce chiffre d'affaires.

Chaque ligne représentait une importante activité qui se traduisait en sommes considérables. Un montant de deux millions trois cent mille dollars avait été versé aux sous-contractants. Le bois coupé par ces centaines d'équipes autonomes avait été revendu en retour à la plus importante papeterie de la Mauricie, pour une somme de deux millions trois cent cinquante mille dollars. Il y avait là une marge de trente deux mille dollars qui s'inscrirait, à la page suivante, dans la colonne des profits. Restait à passer les divers postes budgétaires en revue. Cette année-là, on avait acquis des biens pour cinq cent soixante et onze mille dollars. On les avait revendus pour la somme de six cent quatre-vingt-dix mille dollars. Un profit brut de cent dix-neuf mille dollars.

À l'occasion de la présentation du bilan, Félix Métivier scrutait l'attitude de ses collaborateurs. Les chiffres révélaient en effet la façon dont chacun menait le secteur qui lui était assigné.

— Je vois qu'il y a cinq cent deux piastres à l'item hôpital.

Arthur Desruisseaux se défendit.

— Les gars font pas attention ! On a été obligé d'en descendre deux du lac des Chiennes, un arbre leur est tombé dessus. Il y en a un qui va rester estropié pour la vie.

— Justement, poursuivit Métivier, je me demandais si on a assez d'argent dans ce compte-là...

— Moi j'ai pour mon dire, si on leur en donne trop, ils vont en prendre encore plus ! Le gars qui s'est estropié au lac des Chiennes, je me suis arrangé pour que ça se sache dans les camps. Faut leur mettre du plomb dans la tête.

Mais déjà Félix Métivier passait à autre chose. Cette fois, son fils Jules devait répondre de la gestion du magasin de l'entreprise.

— On a acheté pour cinquante-deux mille piastres de marchandises, puis on les a revendues aux hommes pour soixante-trois mille.

— C'est un profit de onze mille ! triompha Jules. J'ai fait le calcul, c'est du quinze et trois quarts pour cent.

– Je discute pas le profit, enchaîna Félix Métivier. Les gars sont pratiquement obligés d'acheter de nous autres pendant qu'ils sont dans le bois ! D'un autre côté, si on chargeait trop cher, on donnerait raison au député Albéric Manseau qui ferait passer un autre article dans *Le Nouvelliste* ! Non, mais des fois je me demande si on pourrait pas avoir une ristourne à l'achat...

– Moi j'en ai une ristourne, renchérit Arthur Desruisseaux, quand j'achète mes manches de haches chez Boisvert !

– On comptabiliserait ça comment ? demanda le contrôleur.

Le mauvais larron de l'équipe Métivier fustigea son collègue du regard.

– Quand t'auras des surplus de même, Richard, et puis que tu sauras pas quoi faire avec, donne-moi ça, je vais m'en occuper !

– Je peux toujours essayer de voir ce que je peux faire avec mes gros fournisseurs, conclut Jules qui ne voulait pas plus que son père que l'altercation entre les deux principaux lieutenants de l'entreprise n'aille plus loin, car il est des cas, et c'en était un, où la main droite doit ignorer ce que fait la gauche.

Félix lui-même jugea qu'il avait été compris sans qu'il soit besoin de mettre les points sur les *i*. Il porta son attention sur un autre article de la page.

– Je vois que vous avez récupéré du bois pour mille trois cent trente-trois piastres.

Jules était plutôt fier de ce résultat.

– L'année passée, on en avait ramassé rien que pour neuf cents piastres.

– Justement, renchérit son père, je veux bien qu'on

ramasse le bois qui traîne sur les berges des rivières et qu'on le vende, mais s'il y en a tant que ça, c'est peut-être parce que la drave est pas aussi bien faite qu'elle devrait.

Desruisseaux sursauta. La drave relevait de sa compétence.

— C'est pas facile de mener une bande d'ivrognes qui pensent rien qu'à bambocher...

Métivier lui coupa la parole.

— J'ai jamais entendu dire que mes draveurs prenaient un coup, puis je veux pas l'entendre non plus.

— J'ai pas dit qu'ils prennent un coup en travaillant, précisa Desruisseaux, mais ils ont rien que ça dans la tête par exemple ! Les draveurs, c'est pas une race comme les autres. Ces gars-là, parce qu'ils risquent leur vie tous les jours, on dirait qu'ils regardent le reste du monde comme si c'était de la marde !

Un silence suivit. Métivier le rompit.

— Combien d'infractions ?

— Il y en a eu pour deux mille huit cent six piastres, répondit Falardeau.

Qu'il s'agisse de bois d'un trop petit diamètre ou de bois pourri, les grandes compagnies envoyaient des inspecteurs dans la forêt pour débusquer les infractions de certains *jobbeurs* peu scrupuleux. Pour s'assurer que la leçon porte, les amendes étaient facturées à l'entrepreneur, en l'occurence Métivier, qui ne manquait pas en retour de retenir ces sommes sur les redevances des *jobbeurs* concernés. Cet aspect de l'activité forestière humiliait Métivier. Les infractions de ses *jobbeurs* menaçaient sa réputation. Il tourna lui-même la page du grand livre.

— On va passer aux choses sérieuses, si vous voulez. Les profits et pertes.

33

Les commis furent invités à quitter la pièce. Desruisseaux fit les yeux qu'il fallait à l'abbé Tessier qui sortit à son tour. Ils n'étaient plus que quatre, Métivier et son fils d'un côté, le contrôleur et le chef des opérations de l'autre. Le patron descendit lentement l'index sur la colonne de chiffres et s'arrêta sur le dernier. Il était souligné deux fois. On avait travaillé toute une année pour en arriver là. Métivier le prononça à haute et respectueuse voix, avec presque autant d'onction que le prêtre quand il transforme le vin en sang.

– Neuf mille cinq cent quarante-six piastres et quatre-vingt-douze cents.

Ce n'était pas un résultat impressionnant. Neuf mille dollars de profits en regard d'un chiffre d'affaires de trois millions de dollars. On se tenait en équilibre précaire entre le succès et l'échec. Les quatre hommes savaient qu'il ne fallait pas lire ces données sans les interpréter à la lumière d'une vérité cachée que Métivier fit surgir en deux questions.

– Combien à la banque ?

– Onze mille vingt piastres, répondit Falardeau.

– Les salaires ?

– Vingt mille pour vous, douze mille pour Jules, onze mille quatre cent pour chacun de nous deux.

Métivier referma le livre. Il regarda tour à tour son fils et ses deux acolytes.

– Écoutez-moi bien, parce que je répéterai pas deux fois ce que j'ai à vous dire. On a bien travaillé. Je suis content des résultats. Si je vous ai bardassé un peu trop fort en cours de route, je vous demande de me pardonner. On est une maudite bonne équipe, puis on est capable de faire encore mieux que ça.

Rendez-vous l'année prochaine, même heure même poste, comme ils disent à la radio...

Il s'approcha de Desruisseaux. Celui-là sentait l'argent, c'est-à-dire rien. L'exécuteur des basses œuvres attendait ce moment. Les deux hommes s'éloignèrent en direction d'une fenêtre, comme pour contempler l'ordonnance du Panier Percé. L'abbé Tessier revenait vers le bureau à petits pas pressés.

– Le vrai bilan, qu'est-ce que c'est ? demanda le patron.

– Il y a cinquante-trois mille deux cent quatre-vingts piastres dans le *safe*. Une petite fortune.

– Je ne te demande pas d'où vient cet argent, dit Métivier d'un ton qui se gardait de toute expression. Tu prendras cinq cents piastres pour toi.

Le patron emporta son secret. Il allait pousser la porte, collationner au réfectoire, faire ses bagages et rentrer chez lui à Rabaska, mener sa vie de père de famille, quand l'abbé Tessier entra en coup de vent.

– Vous croirez jamais ce que je viens d'apprendre ! s'exclama-t-il en fonçant sur Félix Métivier. Batêche ! j'aurais jamais pensé une minute que ça pouvait arriver !

Métivier était contrarié.

– Qu'est-ce qu'il y a encore ? Le feu ? Quelqu'un de malade ?

– Bien pire que ça ! s'exclama l'abbé. Notre Français s'est sauvé dans le bois avec la fille du père Bélanger !

3.

Métivier et l'abbé Tessier se mirent en route dans l'heure qui suivit. Métivier fulminait.

– Qu'est-ce qui lui a pris ?

Assis sur le bout de la banquette, l'abbé Tessier tenait le tableau de bord d'une main, le menton en avant et le regard fixe. Métivier conduisait la Packard avec fermeté. Ils longeaient la rivière. L'éclat du soleil à travers l'alignement des épinettes projetait des rais de lumière sur le pare-brise. L'abbé en avait oublié de rallumer son cigare.

– C'est peut-être pas aussi grave qu'on le dit...

L'irritation de Métivier grandit.

– Vous êtes un homme de Dieu, dit-il, un homme d'Église, et moi je suis rien qu'une brebis dans le troupeau. Pourtant, c'est moi qui s'inquiète. On dirait que vous ne vous rendez pas compte !

Métivier menait la voiture avec plus de rudesse qu'il n'était prudent de le faire sur ce petit chemin de terre accoté aux berges de la rivière, laquelle s'ouvrait maintenant aux dimensions d'un lac. L'abbé avait peur et ne le cachait plus. S'il donnait raison à Métivier, il condamnait le Français sans l'avoir entendu, mais s'il faisait preuve de compréhension comme il y était naturellement enclin, il avivait la mauvaise humeur de son compagnon qui pousserait la voiture encore plus. Leur croisade finirait peut-être contre un arbre.

– Les chemins sont encore mous dans le bois, fit remarquer l'abbé. Je serais pas surpris qu'on rencontre des ventres-de-bœufs...

– Quand je pense, grogna Métivier, qu'il y en a pour vanter les quatre saisons du Canada ! Il n'y en a pas quatre, il y en a cinq ! Ceux qui vivent dans le bois, comme moi, oublient pas la saison de la boue !

Il fronça les sourcils en rejetant son feutre derrière la tête pour replacer la mèche de cheveux qui cherchait toujours à s'en échapper. Ce faisant, il ne tenait plus le volant que d'une seule main. L'abbé ne lâchait pas le tableau de bord. Métivier insista.

– Hein ! qu'est-ce que vous dites de ça, un homme de cinquante ans, Français par-dessus le marché, séduire une enfant de vingt ans pour satisfaire ses bas instincts !

– J'attends d'avoir entendu sa version des faits avant de me faire une idée, finit par lâcher l'abbé.

Il n'avait pas cédé, les jointures de la main, blanches à force de serrer le tableau de bord, mais le front haut. Métivier se mura dans son mutisme.

Étienne Bélanger s'était présenté au Panier Percé quelques heures plus tôt. L'homme à tout faire, à qui il s'était adressé, avait d'abord cru que son interlocuteur avait l'esprit dérangé. Un prophète à barbe blanche s'était dressé devant lui, au milieu de la cour aux machines, joignant les mains pour le supplier.

– Vite, je veux parler à monsieur Métivier ! C'est de la plus grande importance !

– Il est dans le grand bureau, avait répondu l'autre, on peut pas le déranger, il fait ses comptes.

– C'est une question de vie ou de mort, continua le bonhomme, enfin presque... Puis ce qui est arrivé est un peu la faute de monsieur Métivier! Faut que je lui parle!

Et l'homme à la barbe blanche adopta, au milieu de la cour, l'attitude de celui qui n'entend pas bouger d'un pas en attendant que sa requête ait été entendue. Faute de mieux, l'employé de la cour aux machines s'en fut au réfectoire. Il conta l'affaire au cuisinier. Le gros Germain Boulard prit la situation en mains. Il rejoignit le visiteur. Sa toque et son tablier blanc lui conféraient l'autorité. Son accent de Toulouse le rendait néanmoins suspect aux yeux de celui dont l'honneur avait été bafoué par un Français.

– Écoutez, suggéra Germain Boulard, ils en ont pour la journée, mais tôt ou tard ils finiront par venir prendre une bouchée. Je ferai la commission au patron. Rentrez chez vous.

Le bonhomme Bélanger oscillait sur ses pieds comme un bateau tire sur ses amarres. Il finit par se rendre à la raison.

– Je retourne à la maison, mais faites-lui bien comprendre que ça ne peut pas attendre!

– Que dois-je lui dire? demanda le cuisinier Boulard.

– Le loup a dévoré la brebis.

– Il faudrait peut-être que vous soyez plus explicite...

Le bonhomme se pencha sur le cuisinier pour lui parler à l'oreille, en même temps qu'il jetait des regards suspicieux à l'employé qui se tenait un peu plus loin.

— Dites-lui que son Français a enlevé ma fille.

Et le prophète s'en fut, le dos courbé, auréolé de l'éblouissement blanc de sa barbe et de ses cheveux, comme d'un signe marquant celui que Dieu veut éprouver. Peu après, l'abbé Tessier entra au réfectoire. Le cuisinier s'essuya les mains dans son tablier pour tout lui raconter. Et maintenant, le patron et l'abbé fonçaient vers l'île à Bélanger. Personne ne comprenait ce qui s'était passé. Il aurait fallu pour cela se souvenir de Chateaubriand.

En s'éveillant dans les bras de Mathilde, Henri Ramier s'étonnait de se sentir heureux. Les scrupules, il les avait eus la veille en s'allongeant sur sa couche de sapinettes. Des millénaires de prescriptions rigoureuses : ne pas convoiter les filles du village voisin, préserver l'écart entre la jeunesse et l'âge mûr, demander à la société de sanctionner ses amours.

Il ne lui avait pas été facile de faire taire les terreurs anciennes. Déjà, au temps de son enfance, le vieux monde se défaisait. Les premières certitudes effondrées, la religion en ruines, la figure de son père prenait une allure de fantôme menaçant dans la nuit du château de la famille Chateaubriand à Combourg. *« Mon père commençait alors une promenade qui ne cessait qu'à l'heure de son coucher. Il était vêtu d'une robe de ratine blanche, ou plutôt d'une espèce de manteau que je n'ai vu qu'à lui. Sa tête, demi-chauve, était couverte d'un grand bonnet blanc qui se tenait tout droit. Lorsqu'en se promenant, il s'éloignait du foyer, la vaste salle était si peu éclairée par une seule bougie qu'on ne le voyait plus ; on l'entendait seulement encore marcher dans les ténèbres ; puis il revenait lentement vers la lumière et émergeait peu à peu de l'obscurité, comme un spectre, avec sa robe blanche, son bonnet blanc, sa figure longue et pâle. »*

Henri serait mort étouffé s'il n'avait rêvé. À dix ans, on l'envoyait en été se fortifier les poumons chez ses grands-parents, à Saint-Sever. Debout sur un radeau échoué sur les fonds de gravier de l'Adour, il apprenait à dompter le large. À quinze ans, monsieur de Chateaubriand le conviait à contempler l'Amérique comme un coucher de soleil romantique. *« M. de Malesherbes me montait la tête sur ce voyage. J'allais le voir le matin ; le nez collé sur des cartes, nous lisions les divers récits des navigateurs et voyageurs anglais, hollandais, espagnols, français, russes, suédois, danois... Le chaos augmentait : il suffisait de porter un nom aristocrate pour être exposé aux persécutions... Je résolus donc de lever mes tentes... »*

Ce que monsieur de Chateaubriand avait vu dans le Nouveau Monde, ou avait cru apercevoir à travers le brouillard de son imagination enfiévrée, creusait l'appétit du petit Ramier. *« Je demeurai douze jours chez les Indiens de Niagara... Le soleil tomba derrière ce rideau : un rayon glissant à travers le dôme d'une futaie, scintillait comme une escarboucle enchâssée dans le feuillage sombre ; la lumière divergeant entre les troncs et les branches, projetait sur les gazons des colonnes croissantes et des arabesques mobiles. En bas, c'étaient des lilas, des azaléas, des lianes annelées, aux gerbes gigantesques... Les chasseurs étant partis pour les opérations, je restais avec les femmes. Je ne quittais plus mes deux sylvaines : l'une était fière et l'autre triste... Elles vivaient dans une atmosphère de parfums émanés d'elles... Je m'amusais à*

mettre sur leur tête quelque parure : elles se soumet-
taient, doucement effrayées ; magiciennes, elles
croyaient que je leur faisais un charme. »

Comment s'étonner après cela qu'Henri ait eu des
émotions de commencement du monde en s'éveillant
dans les bras d'une jeune fille de vingt ans, sous une
hutte de branchages, bercé par le murmure d'une
cascade fraîche ?

Il avait fait du feu. Mathilde avait jeté une poignée
d'herbes sur l'eau bouillante. Ensemble ils avaient bu
dans la même tasse. Ils échangeaient de longs
regards pour ne pas se dire ce qui les tracassait.

– On peut pas rester ici, avait enfin lâché Mathilde.

– Où veux-tu aller ?

– Quelque part où ils nous trouveront pas.

– On aura le reste du monde contre nous.

– Si ça prouvait qu'on a raison ?

Vingt minutes plus tard, le canot de Ramier glissait
sur la rivière. Mathilde était assise à l'avant. Entre
eux deux, leur bagage. Les jours précédents, la jeune
fille avait accumulé des provisions et caché un fusil à
proximité de la cascade. Il est toujours prudent de
prêter la main au destin.

De leur côté, en route vers l'île enchanteresse des
Bélanger, Félix Métivier et l'abbé Tessier cherchaient,
chacun pour soi, à s'expliquer comment leur protégé
pouvait en être venu à cette conduite insensée. Ils se
sentaient responsables de sa faute. Tenus de le rem-
mener dans le droit chemin. L'entrepreneur se char-
gerait de laver la flétrissure sociale. Il incomberait à
l'abbé de racheter le péché du Français aux yeux du
Dieu juste qui présidait aux destinées du Canada
français.

La Packard roulait à vive allure. Dans quelques minutes, l'île serait en vue. Un homme surgit sur la route. Il agitait les bras avec véhémence. Métivier freina dans un nuage de poussière. L'homme fut tout de suite à la portière. Il avait le regard des circonstances tragiques. Métivier abaissa la glace.

– Quelqu'un s'est noyé ! annonça l'homme.

Il fit soudain très froid dans la voiture.

– Qui ? demanda Métivier.

– Un draveur de la *gagne* à Boissonneault.

Plus tard, Métivier et Tessier avoueraient que la nouvelle les avait un peu soulagés. Ils avaient tout de suite pensé à Ramier. Métivier se ressaisit.

– Où ça s'est passé ?

– Au rapide des Quatre-Cœurs.

– Ils l'ont retrouvé ?

– Ils le cherchent...

– Embarque, ordonna Métivier en désignant la banquette arrière d'un geste de la tête.

L'homme se battit les flancs. On ne savait s'il nettoyait ses mains ou ses pantalons. Il monta dans la Packard en raclant ses bottes sur le marchepied. Ils se dirigèrent vers le lieu de la tragédie.

C'était à une heure de distance, au bout d'un petit chemin qui n'en était plus un. Vingt hommes au bord de la rivière, au pied d'un rapide qui courait en montrant les dents. Deux barques sur l'eau. Des hommes penchés par-dessus bord, remorquant des cordes qu'on savait munies de grappins en leur extrémité. Une pêche tragique. Comme si on avait attendu que le patron fût là pour l'acte final, l'un des chercheurs annonça bientôt qu'il sentait une résistance au bout de sa corde. L'autre embarcation approcha. On se pencha sur l'eau. Puis des gestes non équivoques à l'intention de ceux qui attendaient sur la rive. On venait de repêcher le noyé.

On le remorqua vers la berge. Celui qui tenait la corde parlait sans arrêt, comme pour exorciser la peine qu'il avait de ramener au grand jour le corps de son compagnon. Il désamorçait le drame à coup de précisions techniques.

– Il pouvait pas être ailleurs que là. En bas du rapide, il y a une grosse roche, puis la rivière vire carré. L'eau part de chaque bord de la roche, mais en bas de la roche c'est calme comme dans le jardin de ma mère. Quand il est parti avec le bois, il a dû frapper la roche puis passer par-dessus. C'est là qu'il s'est probablement assommé puis qu'il s'est noyé, parce que s'il avait pas été assommé, il aurait pu ressortir de là frais comme une rose. Je le sais, l'année passée, il y a des pitounes qui sont restés là pendant des semaines. C'est de valeur pareil !

Le corps gisait maintenant sur la boue de la berge. On le tourna sur le dos. Les cheveux collés au crâne et des yeux désormais inutiles, ouverts sur les nuages. Un cercle de vivants l'entourait, Métivier, l'abbé Tessier et Boissonneault, le chef de drave, au premier rang.

– Il s'appelle comment ? demanda l'abbé.

– Ladouceur, répondit Boissonneault, Euclide Ladouceur.

L'abbé s'agenouilla dans la boue. Il allait tenter d'arracher l'âme de ce malheureux aux griffes du démon. L'entreprise était délicate. Sans doute le draveur était-il déjà bien mort, auquel cas les prières ne pouvaient rien pour lui, mais si une parcelle de vie subsistait au fond de sa dépouille, l'Extrême-Onction administrée sous conditions suffirait à le laver de ses fautes avant qu'il comparût devant son Créateur. L'abbé Tessier se recueillit.

– *Per istam sanctam unctionem et suam piissimam misericordiam, indulgeat tibi Dominus quidquid per visum deliquisti.* En même temps, l'abbé traçait avec le pouce de petits signes de croix sur le cadavre pour effacer les péchés que l'homme pouvait avoir commis par le sens de la vue, par l'ouïe, l'odorat, le goût, le toucher ainsi que par toutes ses actions terrestres.

– J'ai bien peur qu'il pâtisse un sapré bout de temps au purgatoire, marmonna Boissonneault, il avait toujours le nom du bon Dieu à la bouche, mais c'était pas pour faire ses prières !

Quand tout fut terminé, Félix Métivier se signa, remit son chapeau et se tourna vers son chef de drave.

– D'où c'est qu'il vient ton Ladouceur ?

– Saint-Stanislas.

– Ses parents ?

– Je pense que c'est Jos Ladouceur, je suis pas certain.

– Je vais leur apporter le cadavre, annonça Métivier.

On enveloppa le corps du noyé dans une couverture et on l'allongea sur la banquette arrière de la Packard. Le voyage de retour s'effectua à vitesse respectueuse. L'abbé Tessier, qui avait peur des morts, se retournait toutes les cinq minutes pour s'assurer que leur passager n'avait pas bougé.

Pendant ce temps, Osias Bélanger et son père exa-

45

minaient les lieux du crime. C'était ainsi que le patriarche désignait les abords de la cascade et la hutte de branchages que sa fille y avait dressée pour consommer ses amours coupables.

– Ils ont même pas pensé à effacer leurs traces ! gronda Osias.

– La brebis égarée ignore toujours son péché, énonça le patriarche.

– Je me demande bien où c'est qu'ils peuvent être allés, s'interrogea Osias.

– S'ils sont inspirés par le diable, répondit le père Étienne, on pourra jamais les retrouver.

Le père et le fils s'agenouillèrent sur la mousse. Ils prièrent pour leur fille et sœur Mathilde. Ils prièrent aussi pour que le Très-Haut leur accorde la grâce de pardonner à celui qui l'avait entraînée hors du droit chemin. Cette bénédiction leur viendrait plus tard, ils le savaient. Pour l'heure, leur cœur était entaché de rancune.

– Ça sert à rien de courir partout dans le bois pendant des semaines, décréta Osias, je la connais ma sœur, elle est capable de se déguiser en pur esprit.

– On va rentrer à la maison, décréta le père Étienne, attendre monsieur Métivier. Lui, il saura quoi faire.

Mais Félix Métivier n'avait jamais été si mal à l'aise dans sa peau d'entrepreneur forestier. La Packard avait fini par rejoindre Saint-Stanislas, un village comme les autres, les chiens, les enfants, le linge à sécher sur les cordes. La vie quotidienne indifférente au malheur immanent.

Au magasin-général, Félix Métivier s'était fait désigner la demeure de Jos Ladouceur, une ferme pauvre, amarrée au village dans la houle des champs. Un grand chien jaune. Une femme en tablier sur le perron. Le visage de quelques enfants en bas âge, aperçus à travers la porte à moustiquaire. Métivier s'avança. L'abbé se tenait derrière.

— Votre mari est-il ici ? demanda Métivier.

— Il est au large, répondit la femme en désignant la prairie qui s'étendait derrière la maison. Qu'est-ce que vous lui voulez ?

— Il faudrait que vous alliez le chercher, se contenta de répondre Métivier. Je veux vous parler à tous les deux.

La femme partit en courant à travers champs après s'être défaite de son tablier. Un quart d'heure après, ils étaient assis autour de la grande table de la cuisine, le père et la mère, Métivier et Tessier, les mains sur la nappe cirée. Les mots pesaient comme les battements de l'horloge au mur. Un cheval noir la surmontait, *Black Horse*, vantant les mérites d'une marque de bière. Métivier ôta ses lunettes.

— Votre garçon... commença-t-il.

— Il lui est arrivé quelque chose ? demanda brusquement la femme.

Elle était déjà debout. Félix Métivier fit un signe affirmatif de la tête. L'homme regardait la nappe cirée. Il connaissait les dangers du métier pratiqué par son fils.

— Il s'est noyé ? fit-il sans lever la tête. Hein ! c'est ça ?

Félix Métivier continua d'opiner de la tête. Alors la femme s'enfuit dans la chambre à côté. L'homme frappa la table de son poing avant de se lever à son tour.

47

– C'est de votre faute ! dit-il d'une voix sourde, vous les poussez trop ! Vous les envoyez où c'est dangereux !

Félix Métivier nettoyait ses lunettes avec son mouchoir. Il n'avait pas envie de les remettre. Il tourna néanmoins la tête vers le père.

– Je compatis avec vous. Pour ce qui est de les pousser trop, je tiens à vous dire que le chef de drave avait défendu à ses hommes d'aller sur l'embâcle. Votre garçon a fait le fanfaron.

Puis, il fallut jouer les gestes du drame, sortir le corps de la voiture, la mère éplorée tenant la tête ballante entre ses mains. L'étendre sur le lit. Attendre le croque-mort qui ferait sa besogne obscure, porte close. L'abbé Tessier priait avec la mère et les enfants, à genoux autour de la table de la cuisine, comme chaque soir, à l'heure du chapelet. Félix Métivier seul et muet au salon. Le père dehors.

À l'heure du souper, un crêpe noir marquait la porte. Les voisins arrivèrent, de grosses femmes à chapeaux, des paysans maigres dans leurs habits. On avait transformé le salon en chapelle ardente. L'odeur des bougies et les murmures compatissants. Deux religieuses agenouillées déroulaient un tapis d'*Ave* sur la route qu'emprunterait le défunt pour aller comparaître devant son Créateur.

Debout près de la porte, la main tendue vers les visiteurs, le père officiait comme un commerçant invitant ses pratiques à examiner sa marchandise. De temps en temps, il jetait un coup d'œil incisif à Félix Métivier pour lui rappeler les sourds reproches dont il l'accablait. L'entrepreneur forestier ne se décidait pas à partir, malgré les signes de moins en moins discrets que lui faisait l'abbé. Métivier punissait sa peine en s'attardant. La mère rallumait un cierge qu'un courant d'air avait soufflé.

À des années-lumière de là, au cœur de la forêt primitive, Mathilde Bélanger approchait une allumette de la mèche de la lampe à l'huile sur la table. Plus tôt dans la journée, elle et Henri avaient pris possession d'une ancienne cabane de trappeur. Lavé les carreaux, balayé le plancher, changé les branches de sapinettes qui formaient la couche. Du feu dans le poêle. Les assiettes d'étain sur la table. L'odeur du lard frit, puis celle du gros tabac de Ramier. La cabane sentait le bonheur. Ils s'allongèrent entre deux couvertures. Le crépitement du feu masquait les bruits de la nuit.

– Tu m'aimes ? demanda-t-elle.

La question n'appelait pas de réponse.

4.

Une jeune femme un tout petit peu rondelette, les maternités lui donneraient des formes, un homme de petite taille occupé à découper l'espace de ses gestes, une cabane de bois rond sur la berge d'une rivière ombragée ; là-dessus le silence, crevé de mille cris d'oiseaux, la forêt tout autour comme une épaisse fourrure, le Panier Percé à cinquante kilomètres, Trois-Rivières à cent cinquante, Montréal à trois cents, Paris à six mille.

Une toile blanche sur un chevalet. Une jeune femme à sa leçon de peinture. Henri prenait plus de soin que nécessaire à diriger les mouvements de Mathilde. Il la caressait en guidant sa main.

— Je voudrais t'enseigner d'un seul coup tout ce que je sais, dit-il.

— Et moi, répondit-elle, j'aimerais que ça ne finisse jamais.

Ils rirent tous les deux pour des raisons opposées.

— Il faut d'abord que tu cadres le paysage dans ta tête, poursuivit Ramier. Pour faire une œuvre d'art digne de ce nom, tu dois écarter tout ce qui n'est pas nécessaire, réduire ton sujet à l'essentiel.

Il traçait en même temps des lignes verticales et horizontales sur la toile à l'aide d'un bout de fusain.

Des traits vifs sans signification encore apparente. Le cadre dans le cadre.

– Tu ne dois pas chercher à représenter la nature. Exprimer plutôt le sens caché. Un observateur non averti n'y verra qu'un pan de paysage, mais une âme sensible percevra d'instinct ton intention. L'art doit exprimer des sentiments forts. Un arbre battu par le vent, c'est la détresse humaine. Un oiseau haut dans le ciel, l'espérance.

Mathilde résistait. Elle n'avait pas abandonné son père et sa mère pour venir apprendre, au fond des forêts, à circonscrire son émotion. De sa peine et de sa joie, elle ne connaissait que la coulée brute dans son sang. Elle lâcha son pinceau et recula.

– Je ne veux pas, dit-elle.

Henri fut tout de suite près d'elle. Ils s'assirent au pied d'un bouleau. Et le bouleau chantait.

– Qu'est-ce qu'il y a ?

– Je ne veux pas, répéta-t-elle. T'es-tu déjà demandé pourquoi tu mets tes mains dans tes poches en marchant ? Pourquoi tu tiens ta pipe du côté gauche de ta bouche ? Pourquoi tu poses ta tête sur ton bras quand tu dors ? Si tu y penses trop, tu ne pourras ni marcher, ni fumer, ni dormir.

Henri la pressa contre lui.

– Je veux seulement t'apprendre à créer de la beauté, protesta-t-il.

Mathilde le regardait. Elle l'aimait parce qu'elle ne pouvait lui ressembler. Restait à le lui faire admettre. Une mésange s'était posée sur la branche d'une épinette.

– Tu vois l'oiseau ? demanda-t-elle. Il est beau. Il vole comme s'il montait et descendait les côtes d'un chemin invisible. Il pousse trois petits cris puis il va se poser sur une autre branche. Il fait de la musique. Tu entends la musique de l'oiseau ?

– Bien sûr ! déclara Henri.

– Eh bien ! enchaîna Mathilde, il n'a jamais appris la musique, l'oiseau ! Il ne sait même pas qu'il chante. Il a faim. Il faut qu'il mange sans arrêt pour vivre. Il a peur aussi. Tout le monde en veut à son nid, à ses œufs, à ses petits. C'est vrai que c'est beau quand il chante, mais il ne le fait pas pour tes beaux yeux. Il chante comme toi tu respires.

Elle joua avec ses mains avant de continuer.

– Moi c'est pareil. Ça se peut que je fasse de la beauté naturellement, en marchant, en parlant, mais si tu m'y fais penser, je ne sais plus rien faire. Je suis comme ça, c'est tout.

Mathilde n'avait jamais tant parlé depuis qu'ils se connaissaient. Henri en voulait davantage.

– Parle-moi de toi...

– Il me semble que j'ai tout dit.

– ... comment tu vois le monde, la vie, nous deux.

Un bouleau et une épinette côte à côte dans la forêt mauricienne. La grande musique et le murmure.

– Tu vas te moquer de moi, se plaignit-elle.

Il l'étreignit. Elle s'apaisa. Elle laissa bientôt couler ses mots.

– Il y a une prière qui représente toute ma vie. C'est mon père qui me l'a apprise. Pas une prière qu'on dit à l'église. Une prière pour les gens qui vivent dans le bois comme nous autres. C'est une prière de saint François d'Assise. Ça s'appelle « le Cantique des Créatures ».

Henri sourit. Il avait découvert, depuis son arrivée

au Canada français, que le terme *créature* désignait avec condescendance l'espèce féminine. «Ôte-toi de là ! Je vais t'arranger ça ! C'est pas un ouvrage pour une créature !»

– Tu vois, constata Mathilde, tu te moques déjà de moi !

– Pas du tout, expliqua Henri, je te trouve simplement touchante.

Mathilde mit un petit moment à retrouver ses moyens. Elle n'en poursuivit pas moins.

– Ça commence par des louanges au Seigneur, puis tout de suite après ça dit pourquoi il faut le louanger. C'est là que c'est beau.

Mathilde fit jaillir les paroles inscrites dans son cœur.

– Loué sois-tu, mon Seigneur, avec toutes tes créatures, et spécialement notre frère Messire le Soleil...

Elle évoqua la maison chaude où elle avait grandi. La barbe et les cheveux blancs de son père flamboyaient. Il touchait le pain et la maison brillait. Il chantonnait et la maison flambait. Il embrassait sa femme et la maison vibrait. Même en hiver, quand il partait à l'aube dans l'essouflement blanc des poudreries de janvier, battant la croûte de neige avec ses raquettes, une lumière irradiait de sa personne, et c'était son chant.

– Quand je suis née, continua Mathilde, comme de raison, il n'y avait pas de prêtre pour me baptiser. Il en passait un tous les six mois, en route pour les chantiers. Mais ça ne pouvait pas attendre. S'il avait fallu que je meure sans être baptisée, je serais allée dans les limbes. Tu sais ce que c'est, les limbes ?

– C'est plutôt vague, admit Henri.

– C'est la place où vont tous ceux qui meurent sans être baptisés. Tu attends là pendant l'éternité.

Le bonhomme Bélanger avait enveloppé la petite boule de vie dans une couverture blanche et l'avait emportée dehors pour l'élever à bout de bras en direction du soleil. «Dieu éternel et tout-puissant, auteur de la vérité, daignez éclairer cette enfant de votre lumière.»

– C'est le Soleil qui m'a servi de bon Dieu, dit fièrement Mathilde.

Henri ne parlait plus. Il tenait les mains de Mathilde dans les siennes. Il attendait la suite.

– Tous les soirs, continua-t-elle, on se mettait à genoux dans la cuisine pour la prière. Toute la famille. C'était un beau tintamarre. Les garçons se chamaillaient. Les filles avaient toujours quelque chose à faire. Le père et la mère étaient déjà à genoux. Nous autres, on tournait autour. On finissait par prendre nos places. À genoux devant le banc de la table. À genoux devant le banc du quêteux. À genoux devant le crucifix. On avait chacun notre place. Le père et la mère au milieu. «Loué sois-tu, mon Seigneur, pour nos sœurs la Lune et les Étoiles.» On se regardait. On souriait. On savait que la Lune c'était ma mère et nous autres les Étoiles. Le père l'avait dit.

Henri sourit à la pensée de ce microcosme naïf. Il n'aurait pu en partager l'humble vérité. Il en enviait la simplicité. Mathilde ne lui laissa pas le temps de s'attarder.

– D'autres fois, quand il faisait un temps à écorner les bœufs, personne pouvait mettre un pied dehors, mon père nous appelait à la fenêtre. On était six, sept, huit derrière les carreaux. La bourrasque envoyait des paquets de pluie sur les vitres. On se sentait sur un bateau. Mon père commençait à bourdonner. C'était comme une manière de prière sans les paroles. Puis les mots venaient. « Loué sois-tu, mon Seigneur, pour notre frère le Vent, pour l'Air, les Nuages et tous les temps. » Un gros corbeau dérivait devant la fenêtre. Les arbres essayaient de s'arracher de la terre pour aller se mettre à l'abri. Les feuilles mortes couraient comme des souris. On regardait le père. Il avait son beau visage. On se demandait comment il pouvait aimer le mauvais temps. « Attention à ce que vous dites, les enfants, répétait-il, ça n'existe pas le mauvais temps. Le beau non plus d'ailleurs. Tous les temps sont beaux. Si le bon Dieu a pris soin de créer les tempêtes, c'est peut-être pour que ça passe dehors au lieu de nous chavirer le cœur. Notre frère le Vent, l'Air, les Nuages, tout ce monde-là est en train de se sacrifier pour nous autres. Soyez au moins un peu reconnaissants ! Aimez-les ! »

– Je connais ce sentiment, se permit d'intervenir Henri, l'exaltation qui vous emplit devant le déchaînement de la nature.

– Aujourd'hui encore, dit Mathilde, plus il fait mauvais, plus je me sens heureuse.

Le jour de juin dressait un temps superbe sur la création. Mathilde fit surgir de sa mémoire des nuits enfouies sous le froid. Des nuits de moins trente en janvier. Les épinettes pètent et fendent en deux sous l'action du gel. Le vent cuit une croûte de glace sur la neige. La cheminée fume comme une prière. Dans les lits couverts d'édredons, de catalognes et de capots de chat, l'homme et la femme endurent en silence leur désespérance. Les enfants aussi, tout autour. Chacun a le regard fixé sur la porte du poêle. Par les interstices s'échappe la lueur du feu. La prière monte. C'est le père, la mère ou l'un des enfants qui vient d'éprouver le besoin de la formuler. «Loué sois-tu mon Seigneur, pour notre frère le Feu par qui tu illumines la nuit.»

L'eau présentait un tout autre visage, celui d'une compagne quotidienne. L'eau dans le bassin à laver la vaisselle. Mathilde et ses sœurs bourdonnaient autour de leur mère, le torchon à la main. L'eau pour faire bouillir les vêtements raidis de crasse. L'eau pour rincer le plancher envahi de terre, de sable, de boue, de brins d'herbe et même de brindilles. L'eau, enfin, pour s'y tremper tout entière, dans une grande cuve, les autres frères et sœurs dehors, seule avec la mère dans un cocon de quiétude, peu souvent, quatre ou cinq fois l'an, jamais en hiver, toujours en rapport avec une fête.

C'est la mère de Mathilde qui invoquait le plus souvent l'eau. «Loué sois-tu, mon Seigneur, pour notre sœur l'Eau, laquelle est si utile, si humble, si précieuse.» Saint François d'Assise n'avait de toute évidence jamais franchi le rapide Aux Deux Chiens pour parler ainsi de l'humilité de l'eau. Il se référait sans doute à des temps anciens où l'eau n'était pas encore venue se ruer à la surface du continent nouveau.

Puis ce fut la terre elle-même. «Loué sois-tu, mon Seigneur, pour notre sœur maternelle la Terre, riche de tant de fruits, de fleurs colorées et de plantes.» Henri n'eut pas de peine à imaginer la famille Bélanger cultivant son île comme le premier jardin, le père, la mère, une poignée d'enfants, chacun déjà ressemblant à un surgeon végétal sous son chapeau de paille, le dos courbé sur des rangées de promesses, triant avec des doigts gourds les pousses admises d'entre les folâtres.

La terre, c'était aussi les labours, le cheval frissonnant de sueur, le père redressant de peine ses reins cassés par l'effort. En fin de saison, le champ présentait l'aspect doré d'un pain démesuré. Le blé pour les humains, l'avoine pour les bêtes, la paille pour les litières et les racines enfouies de nouveau au creux de la terre généreuse. Depuis longtemps. Depuis toujours.

La terre enfin, sur laquelle Mathilde partait en quête des bouquets colorés dont elle décorait la maison en prévision des jours blancs. À quinze ans, avec sa mère, elle avait capturé le soleil en clouant en cercle, au mur de la cabane, des épis de maïs riants de jaune et qui figuraient l'astre.

Le temps coulait. La matinée basculait sur le versant lumineux des heures. Mathilde et Henri conversaient, allongés sur l'herbe, les mains dans les mains, les yeux dans les yeux, leurs deux êtres cherchant à se rejoindre à travers les boyaux et les viscères, forêt de solitude. La vie qui s'aime. Mathilde se rembrunit.

– Je voudrais bien m'arrêter là, dit-elle, mais je n'en ai pas le droit. Ma prière est pas finie. Il y a un autre mot. Il faut le dire.

Henri l'embrassa.

– Non, tu n'es pas obligée.

Mais Mathilde enchaînait déjà.

– « Loué sois-tu, mon Seigneur, pour notre sœur la Mort corporelle, à qui nul homme ne peut échapper. »

Elle se tut. La nature entière connaissait la loi inexorable, depuis les pierres éclatées jusqu'au cœur de l'homme qui se brise un soir de trop grande fatigue. Le pus, les pustules, les plaies, le trou, puis plus rien peut-être, à moins qu'on n'ait cultivé l'espérance. Certains n'en connaissaient pas la recette. Henri était de ceux-là. Il fit ce qu'il lui semblait convenir dans les circonstances. Il ôta les vêtements de Mathilde. Nue, elle paraissait immortelle. Il lui fit l'amour sur l'herbe, sur la mousse, parmi les branches froissées, les feuilles arrachées, les cris de plaisir, les yeux fermés, en quête chacun de sa plénitude. Quand tout fut terminé, il s'allongea sur le dos, Mathilde penchée sur lui.

– Il y a quelque chose que je ne comprends pas, dit-il. Tu as été élevée dans la religion. Ta vie est une prière. Tu as toujours le nom du bon Dieu à la bouche et tu fais l'amour comme si ce n'était pas défendu, du moins hors de ce que vous appelez les liens sacrés du mariage.

Mathilde sourit. Elle promenait sa main sur le corps d'Henri, s'attardant à l'endroit le plus sensible. Henri eut du mal à entendre la réponse que sa question soulevait.

– Je ne suis pas folle, dit-elle. J'y ai pensé. D'abord il faut que tu saches que je n'ai pas l'habitude de me donner au premier qui passe. Je t'ai ouvert les bras parce que je t'ai reconnu. Je savais que nos deux vies allaient bien ensemble. Mais si tu veux savoir pourquoi j'ai fait l'amour avec toi sans attendre que le prêtre nous bénisse, il faut que je t'explique quelque chose. Une vérité que tout le monde ne sait pas. C'est mon père qui me l'a apprise. Lui, c'est dans la nature qu'il l'a trouvée. La religion, c'est fait pour les gens qui vivent dans les villes et les villages. Là où il y a beaucoup de monde. S'il n'y avait pas de religion dans ces endroits-là, la vie deviendrait impossible parce que chacun irait à l'encontre des autres. Mais dans la nature, tu peux pratiquer la vraie religion. C'est pas compliqué. Tu suis ton cœur, comme les bêtes, les bois, les montagnes, les saisons. Il y a un secret. Tu veux que je te le dise ?

Henri ne pouvait plus attendre. Il pressait la chair de Mathilde contre la sienne.

– Il n'y a pas de bon Dieu, je veux dire pas de bon Dieu qui nous regarde d'en-haut avec un livre pour noter tout ce qu'on fait. Non, le bon Dieu c'est une grande force qui tient le monde ensemble pour pas qu'il tombe dans le néant. Ça fait qu'il y a un petit peu de bon Dieu dans chacun de nous autres. T'as rien qu'à écouter ton cœur, puis tu le sens. Les oiseaux savent ça. Nous autres, ça nous prend un petit peu plus de temps pour l'apprendre.

Elle rit.

– En faisant l'amour avec moi, tu as fait l'amour avec le bon Dieu. Savais-tu ça ?

Henri se redressa. Il ne touchait plus sa compagne. Il la regardait. Il la voyait peut-être pour la première fois.

– Il y a une dernière chose, dit-il, je serai tranquille quand on aura résolu ça. En t'enfuyant avec moi, tu n'as pas pensé que tu faisais de la peine à tes parents ?

Au tour de Mathilde de le regarder.

– D'abord, je ne me suis pas enfuie avec toi ! Je suis partie avec toi, c'est pas la même chose !

– Tu as attendu que tes parents ne soient pas à la maison pour aller chercher tes affaires !

– Pour leur laisser le temps de s'habituer ! Je suis leur dernière fille. Ils pensent encore que je suis une enfant. Ils ne m'ont pas vue grandir. Ils vont s'apercevoir que je suis une femme à présent.

– Tu crois qu'ils t'en voudront ?

– Pas une miette ! Si tu connaissais mon père, ça ne te viendrait même pas à l'idée qu'il puisse en vouloir à quelqu'un.

Henri fut debout en un éclair. Son visage jubilait.

– Je vais faire ton portrait.

Il bondit, nu comme un chevreuil, le membre dressé, en direction d'un arbre sur lequel il avait appuyé ses cadres tendus de toile neuve. Mathilde se leva aussitôt.

– Attends, je vais m'habiller.

– Non, protesta Henri, je te veux toute nue, là où tu es, comme un élément fondamental de la nature.

Mathilde croisa les bras sur ses seins, les mains couvrant son sexe.

– Je ne veux pas.

– Pourquoi ?

– Les autres vont me voir toute nue ! Je ne veux pas.

Elle s'enfuit, refermant la porte de la cabane derrière elle. Henri resta seul au milieu de la clairière. Maintenant sa nudité l'effrayait. Son sexe avait perdu sa vigueur.

À la même heure, Félix Métivier et l'abbé Tessier entraient chez le bonhomme Bélanger. Le prophète leur fit un barrage de gestes insensés. Juliette, sa femme, tenait sa blouse à deux mains comme pour empêcher un enfant de s'échapper de sa poitrine. Osias assistait à la scène en retrait, l'œil par en dessous. Là-dessus le chien, inconscient du drame, qui léchait les mains de l'abbé. Tout de suite, Bélanger tonna contre Métivier.

– Qu'est-ce que vous aviez d'affaire à emmener un Français dans le bois ?

Métivier accusa le coup. Il souleva son feutre, replaça ses cheveux, remit son chapeau, sortit ses cigarettes de sa poche, en alluma une avec son briquet doré.

– J'ai pas l'habitude de m'excuser pour ce que je fais.

Chacun de ses mots s'incarnait en une petite bouffée de fumée devant son visage.

– Je comprends votre peine, poursuivit-il, mais j'en suis pas responsable. Seulement, si je suis là, c'est pour vous aider. Ça fait que vous allez commencer par vous calmer. On va voir ce qu'on peut faire.

Le bonhomme Bélanger ne semblait pas devoir se rendre à la raison. Il gesticulait devant Métivier et Tessier.

– Ma fille est en train de perdre sa vertu et vous voulez que je me calme ?

Il exagérait nettement. Sa femme l'observait depuis l'évier de la cuisine. Osias avait filé dehors. L'abbé Tessier prit les choses en mains.

– Batêche ! père Bélanger, prenez sur vous ! Le bon Dieu en demande pas tant !

– On voit bien que vous avez pas d'enfant, vous ! répondit l'autre.

Félix Métivier et l'abbé échangèrent un rapide coup d'œil, après quoi Tessier entraîna le pauvre

62

homme dehors. On les vit marcher sur le sentier qui serpentait entre les bâtiments puis disparaître dans la côte qui s'éboulait au flanc de l'île. Deux êtres fragiles sur la terre de beauté.

Pendant ce temps, Félix Métivier s'était assis devant la table. En d'autres lieux, la maîtresse de maison lui aurait offert un petit verre de whisky blanc. Ici, il ne fut question que d'eau des anges, une décoction d'herbes parfumées.

– C'est la première fois qu'elle fait ça? demanda Métivier.

– Elle était attachée à moi comme un petit chien après la patte de la chaise, répondit Juliette.

Métivier hocha la tête.

– Donc c'est lui qui l'a entraînée.

– Comment avez-vous pu penser le contraire? s'offusqua Juliette.

– S'il a fait ça, gronda Métivier d'une voix sourde, il va avoir affaire à moi!

Juliette détourna la tête. Félix Métivier donnait de petits coups de poing saccadés sur la nappe cirée de la table.

Sur les berges de l'île enchantée, l'abbé Tessier avait forcé son catéchumène à s'asseoir sur une grosse roche. Le bonhomme avait commencé par crier sa douleur.

– C'était la plus jeune de mes filles! La dernière! Mon bâton de vieillesse!

Puis, il s'était enterré sous sa peine. Une île comme une motte de terre dans la main de Dieu. Un homme là-dessus, criant sa détresse. Il balayait le jour avec ses supplications. L'abbé l'avait saisi comme un enfant qu'on réprimande pour le consoler.

– Tu vas te taire ?

Bélanger avait fini par poser les mains sur les genoux de ses salopettes. L'abbé était resté debout, avec son allure de paysan sous sa chemise à carreaux et son chapeau de paille, mais il croisait les doigts sur sa bedaine, ce qui lui conférait une onction toute sacerdotale. Il parlait d'un ton égal, chaque mot haché menu, et sans intervalle, pour ne pas laisser son interlocuteur insérer des objections entre ses phrases.

– Le bon Dieu t'envoie une épreuve, c'est certain. Mais c'est pas pour rien. C'est pour éprouver ta bonté. Tu te rappelles la parabole de la brebis perdue ? Le berger a cent brebis. Il en perd une. Il abandonne les quatre-vingt-dix-neuf autres pour partir à la recherche de celle qu'il a perdue. Quand il l'a retrouvée, il la remmène à la maison, pas à coups de pied dans le derrière, non, il la met sur ses épaules. Il la transporte comme une chose précieuse. Rendu à la maison, il organise une grande fête. C'est ça que le bon Dieu attend de toi aujourd'hui. C'est facile d'avoir un cœur pur quand tout va bien. C'est dans l'épreuve que le bon Dieu mesure le cœur de l'homme. Et moi je te dis : arrête de chialer, prends sur toi, c'est l'occasion comme jamais de prouver que t'as compris quelque chose à l'Évangile.

Le bonhomme Bélanger pleurait à chaudes larmes. L'abbé s'approcha de lui.

– Maintenant, poursuivit-il, tu vas oublier que je suis prêtre. Je veux te parler d'homme à homme.

Il le prit aux épaules et le força à le regarder dans les yeux.

– Ce qui est arrivé à ta fille, c'est pas si grave que

ça. Si je ne me retenais pas, je dirais même que c'est une bonne chose. Elle est peut-être en train de vivre le plus beau souvenir de sa vie. Elle ouvre les ailes, comprends-tu ? Évidemment, tout le monde aurait préféré que ça se passe autrement. Je la confesserai, quand ce sera le temps, les prêtres c'est fait pour ça, puis on verra ce qui arrivera.

Le bonhomme Bélanger murmurait des mots mouillés de larmes.

– Ma petite fille...

L'abbé le secoua.

– Oublie ça, ta petite fille ! Mathilde est une femme à présent. Puis je suis bien content que ce soit un homme comme monsieur Ramier qui lui ait appris certaines choses plutôt qu'un bûcheron de passage sur le tas de foin dans la grange.

Il prit le bonhomme par le bras et le força à se lever. L'abbé entraîna son fidèle sur le chemin.

– Je peux pas rester, ajouta-t-il, il faut que je retourne aux Trois-Rivières. Je pars demain pour une tournée au lac Saint-Jean. Je te demande une chose. Pas de cris, pas de larmes. De l'amour, comprends-tu ça ? De l'amour. Tu me le promets ?

Le bonhomme Bélanger fit oui de la tête. En vue de sa demeure, il avait déjà réappris à marcher. Métivier vint à leur rencontre.

– On va vous la ramener votre fille, annonça-t-il.

Métivier s'approcha encore du prophète et lui mit la main sur l'épaule. C'était un geste d'une extrême familiarité pour un homme qui n'avait pas l'habitude de toucher ceux avec qui il entrait en rapport.

– Je vais aller vous la chercher, moi !

5.

Entre l'âge de quarante-cinq et cinquante ans, Henri Ramier avait commencé à sentir la mort s'installer dans son corps. Cela se produisait la nuit. Il allait s'engourdir de sommeil quand il sentait une lourdeur l'entraîner vers les profondeurs de la terre. Il lui était même arrivé de s'éveiller avec la certitude que la mort avait passé la nuit au pied de son lit, sous la forme d'un gros chat dont il entendait encore le bruit mat qu'il avait fait en sautant.

Ramier dormait quand Félix Métivier se présenta à la cabane de trappeur le lendemain. Mathilde l'avait accueilli dehors. Elle avait fait face.

– Où est-il ? demanda Métivier.

– Il dort.

– En plein jour ?

– La moitié des bêtes de la création dorment le jour, je pense...

– Mais lui, protesta Métivier, c'est pas un chevreux !

Il écarta Mathilde pour entrer dans la cabane. Ramier s'éveilla en sursaut. Cette fois, le chat n'avait pas laissé de trace sur sa couche. Il se dressa sur les coudes.

– Vous allez prendre vos affaires, dit Métivier, puis vous allez me suivre.

L'autre ne broncha pas. Métivier insista.

– Tout de suite à part ça ! Dans une heure, il n'y aura plus assez de lumière pour qu'on trouve notre chemin !

Ramier posa les pieds par terre. En caleçon, il ressemblait à un petit oiseau déplumé. Position humiliante pour affronter un homme en colère. Il n'en releva pas moins la tête.

– De quel droit me donnez-vous des ordres ?

– Après ce que vous avez fait vous n'avez plus de droits !

Ramier se leva. Il enfila sa chemise et son pantalon. Il avait toujours les pieds nus. Il prit sa pipe et son tabac dans sa poche. Bourra sa bouffarde. Frotta une allumette sur le plancher rugueux. Tira d'énormes bouffées de fumée bleue de son instrument. Le tout sans hâte ni précipitation. Il chassa la fumée en agitant la main. Son regard dans celui de Métivier.

– Je n'ai pas l'intention de vous suivre, dit-il. Pas plus que je n'aime me faire parler sur ce ton.

Métivier durcit les poings. Sa moustache frémissait. Il fit un pas. Il dominait Ramier de toute une tête. S'il avait fait soleil dans la cabane, Métivier aurait couvert l'autre de son ombre. Il cracha ses mots comme des cailloux.

– Vous voulez que je vous remmène de force ?

Ramier avait la tête rejetée en arrière pour regarder son interlocuteur dans les yeux. Il tirait toujours des bouffées de fumée de sa pipe. Peut-être refermait-il les dents sur le tuyau avec plus de vigueur que nécessaire.

– Vous n'oseriez pas me toucher.

– Et pourquoi donc ? demanda Métivier en levant la main droite à la hauteur de la poitrine du peintre. Ramier regardait cette main comme si elle avait été un insecte bizarre.

– Je vous connais assez pour savoir que vous ne vous comporterez pas comme un bûcheron.

Métivier piétinait. Il avait oublié qu'on pouvait lui résister. Il chercha Mathilde du regard. Il la trouva appuyée au chambranle, les bras croisés sur la poitrine. Elle n'interviendrait pas. Alors, Métivier appliqua une gifle au visage de Ramier. Le bruit sec comme un coup de fusil. La pipe sur le plancher. Ramier se pencha, la ramassa, la remit entre ses dents et sortit comme s'il ne s'était rien passé. Resté seul avec Mathilde, Métivier détourna la tête. Un enfant pris en faute. Puis il rejoignit Ramier dehors. Le peintre contemplait le couchant. Métivier s'approcha.

– Pardonnez-moi, dit-il. Je voulais pas faire ça.

L'autre ne broncha pas. Il avait rallumé sa pipe. Métivier s'assit près de lui sur le tronc d'un arbre tombé en travers de la clairière au centre de laquelle se dressait la cabane. À distance respectueuse cependant, laissant entre eux l'espace de leur différend. Ramier se décida enfin à parler.

– La dernière personne qui m'a giflé se nommait mademoiselle Églantier. C'était l'institutrice laïque. J'avais neuf ans. Elle n'était pas plus grande que moi. J'avais mis un crapaud dans mon pupitre. Elle m'a appelé à l'avant de la classe. Debout sur l'estrade, elle m'a giflé. Après ma mère, c'est la femme que j'ai le plus aimée. À sa mort, j'ai pleuré.

Métivier ne savait plus s'il devait se lever ou rester assis.

– Pardonnez-moi, répéta-t-il d'un ton un peu plus bourru.

Puis il ajouta :

– Mais vous avez couru après ! Qu'est-ce qui vous a pris ?

Ramier le regarda dans les yeux. Sa voix un peu plus aiguë que d'habitude.

– Il ne m'a rien pris, comprenez-vous ? L'amour d'un homme et d'une femme ce n'est pas une maladie, que je sache !

Métivier avait les coudes aux genoux, le chapeau rejeté à l'arrière de la tête. Il parlait à l'herbe à ses pieds.

– Peut-être bien, mais ça se contrôle ! On n'est pas des animaux ! Qu'est-ce que vous pensez qui arriverait si tout le monde se comportait comme vous ?

– Les gens seraient sans doute plus heureux.

– L'amour c'est fait pour le mariage. Le mariage pour perpétuer la race. La race, c'est le ciment qui tient le pays ensemble. Trois institutions sacrées. Vous les avez piétinées toutes les trois. C'est mon devoir de vous empêcher de continuer.

Ramier regarda Métivier du coin de l'œil.

– Vous pensez vraiment ce que vous dites ?

– Quand ils sont arrivés ici, les premiers Français, ils n'avaient pas emmené leurs femmes, comme de raison. Ça n'a pas été long, l'envie les a pris de ce que vous savez. Ils sont allés dans le bois avec les Sauvagesses. Il est sorti de là toutes sortes de petits bâtards. Si les curés n'étaient pas intervenus, il n'y aurait plus de race canadienne-française. Comprenez-vous ?

Ramier écarquillait les yeux.

70

– Vous comparez Mathilde à une Sauvagesse ?

– Vous n'êtes pas de la même condition tous les deux. Vous êtes habitué d'aller dans le grand monde. Elle n'est jamais sortie de sa cabane dans le bois. À quoi ça mène vous pensez ?

– Au bonheur, peut-être ?

– Puis à part ça, elle n'est pas de votre âge !

– Si elle avait mon âge, elle serait honorable à vos yeux ?

– Pourquoi vous pensez que le bon Dieu a fait la vieillesse ? Pour empêcher que les hommes et les femmes se mêlent n'importe comment ! L'attirance, c'est fait pour les jeunes ! Pour donner des enfants forts ! La vieillesse, c'est le temps du repos ! Vous allez contre la nature !

Ramier avait les deux bras le long du corps, la tête légèrement inclinée comme le font ceux qui sont un peu durs d'oreille pour bien entendre. Métivier poursuivit.

– Puis à part ça, vous piétinez le Sacrement du mariage ! Je sais pas comment ça se passe dans votre pays, mais nous autres, par ici, quand on aime une femme, la première chose qu'on fait, on l'emmène devant le curé. On ne part pas avec elle dans le bois pour satisfaire ses bas instincts !

Ramier se dressa. Debout, il n'était pas beaucoup plus grand que Métivier assis sur son tronc d'arbre. Il s'écarta d'un pas. Il ôta sa pipe de sa bouche pour en menacer l'autre. Il en pointa le tuyau dans sa direction. En même temps, du coin de l'œil, il aperçut Mathilde qui les observait toujours. Il n'y avait aucune expression sur le visage de la jeune femme.

– Vous passez les bornes ! s'exclama Ramier. Allez-vous-en !

71

Métivier fut debout à son tour, le chapeau de travers.

– Savez-vous que c'est de chez-moi que vous me chassez ?

Ramier ne voulut pas l'entendre.

– Allez-vous-en !

En même temps, il marcha vers son chevalet dressé à l'écart. Il se pencha pour ramasser sa palette et son pinceau. Se dressa devant la toile inachevée. Elle représentait la cabane dans toute sa rudesse. Mais le peintre avait fait des rideaux aux fenêtres. Sans doute pour attirer le bonheur. L'œuvre était presque achevée. D'un geste vif du pinceau, il tourbillonna des volutes de fumée à l'orifice de la cheminée. En même temps, il jetait des coups d'œil furieux à l'endroit de Métivier qui venait vers lui.

– Laissez-moi travailler !

Métivier était déjà là. Il regarda distraitement le tableau.

– Vous appelez ça travailler ? Quand j'étais petit, à l'école, quand on avait bien travaillé justement, la maîtresse nous donnait la permission de dessiner. Pour nous reposer.

Ramier posa sa palette et son pinceau, saisit Métivier aux avant-bras pour le repousser, mais l'entrepreneur forestier avait l'avantage du poids et de la taille et résista. Une bousculade s'ensuivit, au terme de laquelle le chevalet se renversa. La peinture fraîche du tableau contre l'herbe, les brindilles et les feuilles mortes. L'œuvre gâchée.

Ramier ne dit rien et s'éloigna une fois de plus. Il alla s'asseoir à l'autre extrémité de la clairière, sur une souche. Métivier reprit sa position sur son tronc d'arbre. Mathilde n'avait pas quitté son chambranle.

La nuit venait. Avec elle des nuées de moustiques. Les deux hommes fumaient sans discontinuer pour les chasser. Sans grand résultat d'ailleurs, mais ils s'interdisaient l'un et l'autre de se défendre des agressions des bestioles, comme s'il se fût agi d'une joute dont le plus stoïque serait couronné vainqueur. Mathilde avait refermé la porte de la cabane. La clairière flambait maintenant de maringouins et de brûlots. Ramier entra.

La nuit tomba tout à fait. Mathilde et Henri entendirent des pas, ceux de Métivier, qui poussa la porte à son tour. Ils firent comme s'il n'avait pas été là. Ils mangèrent en silence, l'un face à l'autre, sur la table de rondins équarris, puis Mathilde desservit pendant que Ramier bourrait de nouveau sa pipe. De tout ce temps, Métivier était resté assis sur un banc rustique à trois pattes, près de l'entrée, les mains sur les genoux, les lunettes sur le bout du nez, une mèche de cheveux sur le front. Longtemps. Jusqu'à la nuit pleine. C'est Ramier qui parla le premier. Debout. Les ombres portées de la chandelle le grandissaient.

— Je croyais trouver ici la terre de la liberté et je m'aperçois que vous êtes embastillés dans les cadres étroits dont nous avons mis des siècles à nous défaire. Vos curés vous mentent et vous les vénérez. Vous vivez comme si la révolution française ne s'était pas produite. Ce n'était vraiment pas la peine de fonder un Nouveau Monde pour revenir si loin en arrière.

Ramier se mit à marcher de long en large dans la petite pièce. Il imitait en cela le père de son enfance. Il ne s'en rendait pas compte.

— Tout fonctionne par paires dans nos sociétés.

73

Partir ou rester. Les nomades ou les sédentaires. La civilisation ou la barbarie. Ce sont les philosophes grecs qui nous l'ont appris. Mais la vie nous a enseigné autre chose depuis. Les gens comme vous refusent de l'entendre.

Il s'arrêta au milieu de son ombre.

— Sous le tissu de votre chemise, il y a du poil. Dans vos artères du sang bouillonnant. Il coule comme un fleuve en furie. Dès que vous marchez un peu vite, votre souffle soulève la tempête dans votre poitrine. Et quand vous fermez les yeux, vos rêves pétrissent une bouillie de vie. Mais vous êtes tellement habitué à l'artificiel que le naturel vous paraît monstrueux.

Mathilde n'avait pas bougé, les mains jointes sur la table. S'il avait fait moins sombre dans la pièce, on aurait pu voir l'ébauche d'un sourire sur ses lèvres. Ramier poursuivit.

— Je sais que ça peut être tumultueux la vie, au point d'ébranler les inquiets. Certains ont tellement peur de la mort qu'ils se privent de vivre, pensant retarder l'échéance. Ils passent à côté de leur existence.

Métivier souleva son chapeau pour replacer sa mèche de cheveux. Ramier avait repris ses allées et venues. Ses paroles l'enveloppaient.

— Vous vous croyez le Roi de la Mauricie parce que vous coupez les arbres. Je les ai vus vos abattis. Ils sont hideux. C'est la mort que vous semez sur votre passage. Parce que vous vous croyez civilisés, vous transformez vos catastrophes en colonnes de chiffres dans des livres de comptabilité. Non content de vous donner bonne conscience, voilà que vous voulez comptabiliser la vie des autres maintenant. Je ne vous laisserai pas toucher à la mienne. Ni à celle de Mathilde.

Il revint s'asseoir au banc de la table.

– Il y a un livre, dit-il encore, sans doute personne ne l'a lu dans ce pays, il est paru en France voici trois ou quatre ans. C'est le sommet d'une œuvre magnifique. Cela s'intitule *Que ma joie demeure.* Connaissez-vous seulement le nom de Jean Giono? C'est le plus grand chantre de la vie que je connaisse et je n'ai rien d'autre que lui à opposer à vos prétentions.

Il ouvrit les mains dans l'ombre devant lui.

– C'est au nom de la vie que j'essaie chaque matin de créer de la beauté avec mes mains blanches. Comme Giono. C'est aussi au nom de la vie que j'ai dit oui à Mathilde quand elle m'a proposé son amour tout simple et vrai. Et c'est également au nom de la vie que je vous dis non.

Il se releva et marcha vers sa couche.

– Je ne vous en veux même pas. Je vous plaindrais plutôt. Entre nous, il y avait une belle amitié. Vous l'avez abattue comme vous le faites chaque fois que vous trouvez un arbre sur votre chemin.

Il s'assit sur les branches odoriférantes de sapinettes qui lui servaient de lit. Mathilde le rejoignit. Ils s'allongèrent sous la couverture rouge qui les protégeait des chats de la nuit. Métivier resta sur son banc, près de la porte, se contentant d'appuyer sa tête contre le mur. Nul ne sut s'il dormit.

À quatre heures, les premiers oiseaux frappèrent à la vitre de l'air. Une demi-heure plus tard, la lumière naissait. Métivier se leva. Ses pas piétinaient le silence. Ramier le rejoignit près de la table. Ils échangèrent quelques paroles en retenant leur souffle. C'est Métivier qui parla le premier.

– Alors c'est non ?

– C'était non avant que vous arriviez et ça l'est encore !

Métivier désigna Mathilde d'un signe de la tête. La jeune femme faisait semblant de dormir.

– Qu'est-ce qu'elle en dit ?

– Elle n'a qu'un seul souhait, comme moi, que vous nous laissiez en paix.

Alors Métivier marcha vers la porte. Il prit son sac qu'il avait déposé là en entrant la veille. Il ouvrit la porte. Se tourna vers Ramier.

– Mes hommes vous surveilleront. Nous saurons tout ce que vous faites. Tôt ou tard, vous serez mal pris. Ne venez pas me demander de l'aide.

Il sortit. Le rose du matin se jeta sur lui. Métivier l'ignora. Il marcha vers la bordure de la clairière. Il chercha quelque chose en posant ses mains sur le tronc des arbres. Trouva celui dans lequel de longs clous avaient été enfoncés. Déposa son sac par terre. En sortit une boîte de bois munie d'une manivelle et d'une courroie qu'il mit sur son épaule. Puis, il grimpa dans l'arbre en appuyant les semelles de ses bottes sur les clous.

Un fil courait d'arbre en arbre, en pleine ramure. Métivier relia sa boîte à ce fil à l'aide de pinces en forme de gueule de crocodile, puis il tourna vivement la manivelle en coinçant le combiné d'un appareil téléphonique entre son épaule et son oreille.

– Marcel ? C'est Félix Métivier. Je voudrais que tu passes le mot aux autres garde-feu. Le Français est dans le bois avec la fille au père Bélanger. Surveillez-les.

6.

Henri s'était remis à la peinture quand les Anglais arrivèrent en fin de journée, le lendemain. On ne les avait pas vu venir. Ils étaient quatre. Plus ivres les uns que les autres.

– *Goddamn what are you doing ?*

Suspicieux mais poli, Henri s'écarta pour leur permettre d'admirer son tableau. L'un des Anglais tangua sur ses jambes en désignant l'ouvrage.

– *Why don't you paint ladies in the nude like a real painter should ?*

Henri ne comprenait pas. Il sourit. Quatre hommes en chemises à carreaux, la casquette de travers, le *packsack* d'une main, la bouteille de l'autre, dans une clairière du bout du monde, devant un homme qui s'employait à percer le mystère des apparences. Henri souhaitait surtout que Mathilde ne sorte pas de la cabane.

– *Are you alone ?*

Cette fois Henri avait compris. Il faisait de grands mouvements de la tête et du torse pour convaincre les Anglais qu'il était seul.

– *Yes, yes, me alone !*

– *Have a drink.*

L'un des hommes lui tendit sa bouteille. Henri

n'eut d'autre choix que d'en porter le goulot à ses lèvres. C'était du whisky à deux sous. Henri grimaça. Les hommes rirent. Ils lui donnèrent des claques dans le dos pour l'aider à passer l'alcool brûlant. Comme il était de petite taille, il perdit l'équilibre, ce qui amusa beaucoup les Anglais. Bientôt, ils le bousculèrent sans ménagement. Henri protestait.

– Mais qu'est-ce que vous faites ? Arrêtez ! Arrêtez voyons !

C'est alors que Mathilde apparut. Elle avança dans la clairière le fusil à l'épaule. Les hommes lâchèrent Henri pour venir à sa rencontre. De toute évidence, ils ne prenaient pas la menace du fusil au sérieux.

– *Sweatheart, I want to spend the night with you...*

Mathilde déchargea son fusil au-dessus de leur tête et remit aussitôt une cartouche dans la culasse. Deux des hommes s'étaient jetés par terre. Les deux autres agitaient les bras sans avoir lâché leur bouteille.

– *Don't shoot lady ! We do no harm ! Don't shoot !*

Mathilde marchait toujours vers les Anglais. Les deux qui étaient à terre se relevèrent. Mathilde leur fit signe de déguerpir en leur montrant le chemin à prendre avec le canon de son fusil. Ils décampèrent en pagaille. L'un d'eux avait oublié son *packsack.* Il revint le chercher en courant, plié en deux comme un tirailleur. Quand ils furent assez loin, celui qui semblait mener les autres s'arrêta et se tourna en arrière.

– *We'll get back, lady ! Sure do ! We'll take care of your ass !*

Quand ils furent hors de vue, Mathilde abaissa son fusil et posa la crosse sur le sol. Les mains rivées à l'arme. Elle regarda Henri. Celui-ci se refaisait une tenue.

– Si tu n'avais pas été là, dit-il en prenant un ton badin, j'aurais peut-être eu un peu de mal à les tenir en respect tous les quatre.

Elle ne rit pas. Un air de gravité sur le visage.

– Qui sont ces gens ? demanda Henri.

– Je ne sais pas, répondit Mathilde.

Son menton tremblait.

– J'ai peur, dit-elle.

– Ils ont eu leur leçon, temporisa Henri. Tu t'es conduite comme une véritable héroïne. On ne les reverra pas de sitôt.

– Pas les Anglais, objecta Mathilde. Tu ne les connais pas. Ils reviennent toujours.

Mathilde ne bougeait toujours pas. Henri s'approcha pour lui prendre son fusil.

– On peut ranger ça, dit-il.

Mais Mathilde ne desserrait pas les doigts. Henri l'entraîna vers la cabane. Il la força à poser le fusil dans l'angle du mur. La fit asseoir sur le banc devant la table. Entoura son épaule de son bras. La tint ainsi embrassée un long temps.

Il fallut reconnaître que, depuis le départ de Métivier, la veille, les signes s'étaient accumulés contre eux. Henri se refusait à lier ces incidents à son altercation avec l'entrepreneur forestier.

– Simples coïncidences, déclara-t-il.

D'abord, un homme avait rôdé à l'orée de la clairière. Sans doute un des garde-feu de Métivier venu se rendre compte. Henri était sorti. L'autre avait filé entre les épinettes.

Ensuite, leur cache de nourriture avait été pillée. Mathilde en avait fait la découverte en s'y rendant. Un trou creusé près de la cabane, dans lequel ils entreposaient leur lard. La pierre qui en obstruait l'orifice avait été déplacée. Cette pierre était beaucoup trop lourde pour qu'un ours ait pu la soulever. Il fallut en déduire que le rôdeur avait commis ce méfait. Ils se consolèrent en se disant que Mathilde pouvait les approvisionner de viande fraîche avec son fusil jusqu'à la fin des temps.

La nuit qui suivit, ils dormirent mal. Mathilde s'éveillait en sursaut et se dressait sur son séant. Henri s'était résolu à laisser la lampe allumée sur la table, ce qui n'avait guère apaisé la jeune femme. Au matin, ils se levèrent avec la conscience d'une nuit manquée. Henri ne s'en était pas moins remis à peindre.

– Il ne faut pas leur donner raison, avait-il décrété. Ils cherchent à nous faire dévier de notre chemin. N'en parlons plus.

Le mot d'ordre avait tenu jusqu'à l'arrivée des Anglais. Impossible maintenant d'ignorer qu'une bande d'ivrognes errait dans la forêt en ruminant des pensées de vengeance à leur endroit. Henri se rendait compte qu'il fallait désamorcer la peur de Mathilde.

– Ce n'est pas la première fois que j'ai affaire à des imbéciles. Ils sont malheureusement assez nombreux sur cette terre.

– Tu ne te rends pas compte, protesta Mathilde. Ils sont dangereux.

– Sans doute, admit Henri, du moins tant qu'ils sont ivres. Quand ils s'éveilleront de leur beuverie, ils ne se rappelleront même pas de nous avoir rencontrés. Moi qui pensais que tous les Anglais travaillaient dans des bureaux feutrés, au quinzième étage d'immeubles prestigieux, dans des costumes rayés, à donner des ordres à des subalternes canadiens-français! Je m'aperçois qu'il y a aussi des Anglais qui courent les bois. Mais qu'est-ce qu'ils font au juste, ces gens? Ce sont des bûcherons?

— Sûrement pas. On est au mois de juin. Pas des draveurs non plus.

— Des trappeurs?

— Jamais en été.

— Des chasseurs peut-être.

— T'as déjà vu des chasseurs sans fusils? répliqua Mathilde d'un ton presque agressif.

— Alors qu'est-ce qu'ils font?

— Je ne sais pas, dit la jeune femme en baissant la tête. C'est pour ça que j'ai peur.

— Il n'y a pas de quoi s'inquiéter. Tout juste une bande de joyeux lurons qui s'amusent à courir les bois pour passer leur mal de vivre...

— C'est des Anglais! s'offusqua-t-elle. On dirait que tu l'as oublié!

Henri se figea. Il mit la main sur l'avant-bras de Mathilde. Inclina la tête jusqu'à toucher la sienne.

— Les Anglais ne sont pas plus méchants que les autres.

— Ça paraît que tu ne connais pas l'histoire du Canada! C'est les Anglais qui ont déporté les Acadiens! C'est les Anglais qui ont battu Montcalm sur les Plaines d'Abraham! Les Anglais qui ont brûlé la Côte de Beaupré! C'est les Anglais qui ont écrasé les Patriotes de Papineau! Des femmes et des enfants pieds nus dans la neige! Des villages entiers à feu et à sang! Douze pendus! Une soixantaine d'exilés! Encore les Anglais qui ont exécuté Louis Riel après la révolte des Métis de la Rivière Rouge ! Toujours les Anglais ! C'est pas assez pour toi ?

Henri tapotait l'avant-bras de Mathilde avec sa main.

– Pourquoi cette haine des Anglais ?

– C'est pas de la haine. C'est des faits.

– T'es-tu jamais donné la peine de regarder l'autre côté de la médaille ?

– L'histoire du Canada c'est lisse comme un champ couvert de neige en hiver.

– Qui t'a mis cela dans la tête ?

– Mon père.

– Le pauvre homme n'a peut-être lu qu'un seul livre ? On l'aura sans doute dupé.

– Tu ne peux pas comprendre, trancha Mathilde. Si tu avais enduré seulement la moitié de ce que les Anglais nous ont fait...

Henri se leva. Il fit trois pas dans la pièce avant de se retourner vers celle qu'il ne reconnaissait plus.

– Je suis sûr que ton père ne t'a jamais parlé des Gascons.

– Il y a quelques familles qui portent ce nom-là, par ici. C'est tout ce que je sais.

– Et si je te disais que je suis Gascon ? Du moins par adoption.

– T'as des ancêtres qui s'appelaient Gascon ?

Henri sourit. Il reprit vite son visage imperturbable pour ne pas blesser la susceptibilité de sa compagne.

– Les Gascons sont un peuple. La Gascogne un pays. Tout le sud-ouest de la France, en fait. Avec une langue propre, le gascon, qui est la forme la plus archaïque de l'occitan.

– Je ne vois pas ce que les Anglais viennent faire là-dedans, intervint Mathilde.

– Au temps où la Gascogne était un royaume, enchaîna Henri, nous avions les Anglais pour alliés.

– T'es Français oui ou non ? protesta Mathilde.

– La France n'a pas toujours été le pays qu'on connaît aujourd'hui. Jusqu'à la fin du Moyen Âge, la moitié de la France actuelle appartenait aux Anglais. À cause d'une femme, Aliénor d'Aquitaine. Ça te dit quelque chose ?

Mathilde fit un geste vague en écartant ses cheveux pour signifier qu'elle n'entendait pas répondre à une question aussi précise.

– Elle fut tour à tour reine de France et d'Angleterre. Pendant que son premier mari le roi de France faisait la guerre, Aliénor se laissait bercer par les troubadours à la cour. Paraît que son Louis en prit ombrage. Il la fit répudier par un concile. Elle avait vingt-neuf ans. Elle était belle comme toi. Huit semaines après son divorce, la fine Aliénor épousait celui qui allait devenir le roi d'Angleterre. Tu sais ce que cela signifiait ? La moitié de la France passait sous domination anglaise. Pour nous les Gascons, c'était un avantage considérable. Plus de redevances, finis les lourdes charges, les impôts, les gabelles à l'endroit du roi de France qui spoliait le jardin de son royaume ! Tu connais la guerre de Cent Ans ? N'oublie jamais que les Anglais n'ont pas fait la guerre de Cent Ans pour conquérir la France ! Ils défendaient leur Aquitaine, leur Gascogne si tu veux, contre un envahisseur belliqueux, la France ! Tu comprends ?

Mathilde faisait la moue.

– Puis après ?

– Quand le guetteur sonnait l'alerte sur les remparts de Bordeaux, c'était l'arrivée des Français qu'il signalait. Ils se sont entretués pendant cent ans. Le Dieu des uns jetait la peste à la tête des autres. Cent ans plus tard, quand ils sont retournés dans leurs campagnes, les paysans se sont retrouvés devant une forêt de chênes.

Mathilde continuait de hausser les épaules.

– Et nous pendant ce temps, les Gascons, nous commercions avec l'Angleterre. Tout le vin du Sud-Ouest était expédié outre-Manche. Même aujourd'hui, plusieurs sociétés qui se consacrent au commerce des vins de Bordeaux portent des noms anglais.

– Nous autres ici, fit observer Mathilde, on n'en boit pas de vin. Quelques-uns font du vin de gadelles pour Noël. C'est tout.

– C'est Jeanne d'Arc qui a sonné la fin de la récréation, comme tu le sais. Elle a battu les Anglais à Orléans. Elle a fait sacrer Charles VII roi de France à Reims. Mais il ne faut surtout pas oublier que ce sont d'autres Français, les Bourguignons, qui ont capturé Jeanne d'Arc et l'ont livrée aux Anglais pour qu'elle soit brûlée sur la place à Rouen. Tu vois que tout n'est pas si simple.

Mathilde opposait toujours une attitude butée aux leçons d'Henri. Celui-ci poursuivit sans se laisser démonter.

– Alors quand tu dis que les Anglais sont méchants parce qu'ils ont fait la guerre aux Français dans ton pays, tu simplifies peut-être un peu.

Mathilde se leva à son tour.

– Tu parles trop, dit-elle d'une voix qui refoulait des sanglots.

84

Elle alla se réfugier sur la couche de sapinettes, les bras autour des genoux, la tête en avant, tous ses cheveux renversés sur elle. Statue de silence. Henri avait compris qu'il valait mieux ne pas insister. Il resta près de la table à regarder ses mains. Jusqu'à la nuit tombée.

Il alluma la lampe. Trancha des oignons. Des pommes de terre. Les mit à frire sur le poêle dans le gras fondu du morceau de lard qu'il leur restait. Cérémonie de réconciliation. Quand tout fut prêt, Henri entraîna Mathilde vers la table en la contraignant avec douceur comme on le fait pour une personne boudeuse. Elle pignochait dans son assiette.

– Je ne voulais pas t'offenser, commença-t-il.

Mathilde secoua la tête.

– Encore moins te faire la leçon, ajouta-t-il. Nous autres Français, nous portons l'Histoire dans nos veines, et cette Histoire est faite de contradictions. Impossible d'examiner un fait sans envisager son contraire. Je vois qu'il n'en est pas de même ici. Votre Histoire marche en ligne droite parce qu'elle n'a pas encore eu le temps de revenir sur ses pas. Je comprends.

Mathilde faisait oui de la tête. Henri profita de son acquiescement pour essayer de clore l'incident.

– C'est fini. Je me tais.

Mais Mathilde releva la tête.

– Tu diras tout ce que tu voudras, n'empêche que les Anglais sont dangereux.

Henri ne voulut pas relancer le débat. Il l'embrassa sur la bouche. Elle ferma les yeux. Une chaude tendresse les recouvrit. Quatre heures plus tard, la suite des événements donnait raison à Mathilde.

Des éclats de voix les tirèrent du sommeil. On parlait dans la clairière. Mathilde et Henri sautèrent sur pied pour aller se poster à l'unique fenêtre de la cabane. La lueur d'une lampe éclairait des silhouettes grotesques. À n'en pas douter, c'étaient les quatre Anglais qui étaient revenus.

Ils dressèrent un feu. La flamme monta. Ils se mirent à chanter et à danser en tapant dans leurs mains. L'écho de la nuit amplifiait leurs braillements. Derrière leur fenêtre, Mathilde et Henri assistaient au spectacle sans y croire. Ils échangeaient des observations dans le registre élevé de leur souffle.

– Ils ne vont pas rester là toute la nuit ?

– J'en ai bien peur.

– Qu'est-ce qu'ils veulent, tu penses ?

– Nous faire peur.

– Qu'est-ce qu'il faut faire ?

– Surtout pas les provoquer.

Henri commençait à sentir la panique marcher avec ses pattes minuscules le long de sa colonne vertébrale. Elle atteignit la tête et se logea à la base de chaque cheveu. L'homme fut bientôt hérissé de frayeur. Il faisait tout ce qu'il pouvait pour le cacher à sa compagne.

Pendant ce temps, Mathilde s'activait dans le noir. Ses pieds nus sur le plancher ne faisaient pas plus de bruit que l'ombre. On voyait seulement une faible lueur émanant de sa robe de nuit accompagner ses mouvements aux quatre coins de la cabane. Henri la rejoignit.

– Qu'est-ce que tu fais ?

– Je me prépare...

– À quoi ?

– ... à les affronter.

– Tu crois ?

Mathilde approcha sa bouche de l'oreille d'Henri.

– Je te l'avais dit que les Anglais sont méchants.

– Qu'est-ce que tu fais ?

– Je fais chauffer de l'eau. Aide-moi. On va mettre la table contre la porte. Sans bruit.

Ils soulevèrent la lourde table à grand-peine. Le bois grinçait. Il leur semblait que ces craquements devaient s'entendre dans toute la forêt. Mais les Anglais menaient un tel tapage que Mathilde et Henri parvinrent à barricader la porte sans attirer leur attention.

Pendant qu'Henri se figeait dans sa frayeur, dans l'angle de la fenêtre, Mathilde continua sa besogne mystérieuse. Elle posa le fusil à côté de l'endroit où se tenait Henri, une rangée de cartouches alignées sur la tablette du mur. L'eau bouillait maintenant dans le chaudron de fer. Mathilde y versa ce qu'il restait de sa bouteille d'huile. Puis, elle porta ce chaudron sur le plancher, près de la table devant la porte. Après quoi, elle se vêtit en empruntant les vêtements d'Henri. Les pantalons un peu courts. La chemise pleine à la hauteur de la poitrine. Le béret sur la tête. Ainsi déguisée, elle se posta dans l'angle de la fenêtre opposé à celui où se tenait Henri.

– Qu'est-ce que tu fais ? demanda-t-il une fois de plus.

– Je les attends.

Les Anglais chantèrent toute la nuit en tapant du pied, comme des mineurs à l'auberge après la semaine de travail, tous les *Goodbye farewell, my darling sweatheart* de leur répertoire. Ils attaquèrent au petit matin, la porte secouée, la vitre de l'unique fenêtre fracassée.

Mathilde déchargea son fusil par cette ouverture. La lueur, puis un cri vaste comme la nuit. On essayait d'enfoncer la porte à coups d'épaules. Mathilde alla prendre son chaudron d'eau mêlée d'huile bouillante. L'Anglais qui parvint à pousser la porte reçut cette mixture au visage. Un hurlement. Ils ne pouvaient plus être que deux à donner l'assaut.

Mathilde chercha Henri du regard. Elle le trouva blotti sur les sapinettes de la couche. Pas le temps de chercher à comprendre. Le torse d'un des attaquants venait d'apparaître dans le cadre de la fenêtre. Il était sans doute coincé dans les débris pointus de verre. Il reçut un violent coup de crosse de fusil sur le crâne et bascula dehors.

Plus qu'un seul attaquant. Il ne se manifestait pas. Mathilde retint son souffle. Elle entendit marcher le long du mur sur lequel elle s'appuyait. Elle durcit les mains sur son arme. Les pas s'éloignaient.

Elle risqua un regard par la fenêtre. Celui qu'elle avait assommé d'un coup de crosse geignait, recroquevillé comme un gros insecte sur l'herbe. Un autre filait en longeant le feu. Il s'arrêta. Fit des signes. Une ombre le rejoignit. C'était celui qui avait reçu la décharge de fusil à courte portée. Il supportait l'un de ses bras avec l'autre et marchait plié en deux, trébuchant tous les trois pas et menaçant de s'écrouler sur son bras blessé. Son compagnon le soutint et l'entraîna vers la forêt.

Alors Mathilde s'approcha de la porte. L'Anglais qu'elle avait ébouillanté rampait sur l'herbe. Elle cracha dans sa direction avant de rentrer.

Un calme incisif avait succédé au tumulte. Des sanglots griffaient le silence. Mathilde se retourna lentement. C'était Henri qui pleurait. Elle le rejoignit et le prit dans ses bras. Les sanglots le secouaient maintenant comme des décharges électriques.

– Pardonne-moi, parvint-il à dire.

Mathilde le berça longtemps. Henri s'apaisa un peu.

– Pardonne-moi, dit-il encore. Depuis la guerre, je ne peux pas...

Mathilde le tint dans ses bras jusqu'au grand jour.

7.

L'abbé Tessier n'était pas sitôt arrivé au lac Saint-Jean qu'il pensait à en repartir. Depuis quelque temps d'ailleurs, il ne mettait plus le zèle habituel à remplir sa fonction de visiteur-propagandiste des Écoles ménagères. Il fallait pour cela que des soucis tenaces le tiennent. Il ne pouvait détacher sa pensée du drame que provoquaient en Mauricie, la fuite de Béatrice et du peintre Ramier. Il craignait surtout la rigueur de Métivier.

Tessier avait commencé sa tournée à l'École de Roberval. Accueilli comme un évêque. Nourri à s'en faire péter les boutons de la soutane. Vénéré dans chacune de ses paroles. Que des femmes autour de lui, des religieuses à cornettes et des élèves en uniforme bleu. Fous-rires et regards en coin. Le renard dans la basse-cour, ou coq en pâte si l'on préfère.

Mais l'abbé oubliait de répondre aux questions. Il n'entonnait pas les chansons de voyageurs qu'il avait l'habitude de lancer chaque fois que trois ou quatre élèves se retrouvaient autour de lui. On lui montra des courtepointes majestueuses, des tricots moelleux, un village sculpté dans le sucre d'érable avec son église et ses maisons pointues, rien ne tira de sa morosité le vénéré visiteur des écoles de bonheur.

91

Le deuxième jour, il s'excusa après le repas du midi. On crut qu'il allait faire la sieste. Il s'installa dans la cabine téléphonique du parloir et chercha à joindre Métivier. En vain. L'abbé apprit néanmoins qu'on était toujours sans nouvelles du Français. Le soir même, il commettait un pieux mensonge en annonçant aux religieuses que ses supérieurs le réclamaient d'urgence aux Trois-Rivières. Même son chauffeur, le fidèle Ernest, le crut. Il ramena son passager en pleine nuit en maugréant contre l'inconstance des autorités.

Tessier avait son bureau au Séminaire. Il s'y enferma pour laisser croire à des obligations pressantes. Il y avait effectivement du courrier sur son bureau pour l'occuper pendant toute une semaine. L'abbé ne se donna même pas la peine de l'ouvrir. Il erra jusqu'au milieu de l'après-midi dans le fatras de ses souvenirs de voyages et de son équipement de cinéaste, les lentilles, les photos, les caméras, les raquettes à neige et les mitaines piquées de perles factices par les Indiens. Un peu avant le souper, il demanda à son chauffeur de le conduire à Mékinac.

Une arche de verdure se dressait à l'entrée du village. Une profusion de drapeaux aux couleurs papales, le jaune et le blanc, marqués des attributs du Saint-Siège, la tiare et les clés, en couvrait le sommet. Chaque maison de la rue principale arborait des décorations, drapeau français, fleurs et banderoles. La côte menant à la rue du bas du village prenait une allure de voie triomphale. On y voyait même encore les vestiges des pétales qu'on avait jetés sur le passage d'un cortège. En tournant à droite sur la rue où se trouvait la maison de Félix

92

Métivier, la Nash de l'abbé Tessier déboucha en pleine gloire.

L'homme le plus prospère du village, qui se trouvait en même temps à présider le conseil municipal, avait eu l'insigne honneur de voir sa demeure choisie comme lieu du reposoir de la Fête-Dieu. On était jeudi, mais on avait célébré le matin-même à l'église la grand-messe des dimanches. Après la cérémonie, le village entier était parti en procession, les hommes le feutre à la main, les femmes couvertes de bibis à fleurs, les enfants arborant le brassard de leur première communion. Une armée précédait le curé sous son dais soutenu par quatre marguilliers. Le curé portait l'ostensoir à bout de bras. Des enfants de chœur l'entouraient, surpris de se retrouver dehors en surplis. Le thuriféraire tirait de généreuses volutes de fumée de son encensoir. Ceux qui ne participaient pas au cortège, les vieux, les malades et les mères chargées d'enfants en bas âge, s'agenouillaient sur son passage. Une fois l'an, Dieu sortait de son église pour aller à la rencontre de son peuple, et c'est chez Félix Métivier que Dieu avait choisi de se reposer ce jour-là.

On avait dressé un autel provisoire en haut des marches du perron de l'imposante demeure de pierres. La structure fraîchement peinte en blanc s'élevait jusqu'à la hauteur des fenêtres de l'étage. Le prêtre avait posé l'ostensoir sur le tabernacle noyé de lys cultivés depuis la fin de l'hiver par les religieuses du couvent en prévision de l'événement, et la foule avait entonné le *Tantum ergo*. Les voix rudes des hommes, et celles plus claires des filles du couvent, s'unissaient pour remercier Dieu de ses sollicitudes, et il fallait, en effet, toute la bénévolence d'un Dieu pour reconnaître des paroles de louange sous les accents du latin écorché.

– *Tantum ergo-o Sacrame-entum Ve-eneremur cernui-i-i : Et antiquum documentum Novo cedat rituii...*

On avait remmené Dieu dans son église en fin d'après-midi, et ceux qui avaient le privilège d'y être invités s'étaient retrouvés dans les jardins de la résidence de Félix Métivier pour le souper de la Fête-Dieu. Une centaine de personnes sous des auvents confectionnés à l'aide de grandes toiles cirées. Des tables et des bancs fabriqués pour l'occasion. Des drapeaux des États pontificaux et des lys à profusion. Quand l'abbé Tessier s'y présenta, Félix Métivier venait de se lever pour adresser quelques mots à une troupe de jeunes scouts dont le chef l'avait couvert de compliments.

– Nous autres, les Canadiens français, on a un grand défaut et trois petits défauts. Commençons par le plus grand. On a des ambitions de pauvres. C'est vrai que la mère-patrie nous a abandonnés et qu'on a tiré le diable par la queue assez longtemps, mais aussitôt qu'on a commencé à manger à notre faim, on s'est pété les bretelles en se disant qu'on était devenus prospères. Même vous autres, les petits gars de dix, douze ans, vous ambitionnez rien d'autre que de vous trouver une bonne *job* de commis dans mes chantiers ou bien de travailler au chaud comme chauffeur de fournaise au couvent. C'est pas assez ! Ce que j'aimerais, c'est que chacun de vous autres se prépare à prendre ma place un jour. Pas moins. Comme ça, on serait plusieurs à prendre notre place dans ce pays.

Il posa sa cigarette dans sa soucoupe avant de continuer.

— Nos trois petits défauts sont la conséquence du premier. J'appelle ça mes trois défauts en «eux» : paresseux, faiseux et gaspilleux. Paresseux ceux qui se lèvent le matin avec l'idée de pas aller plus loin qu'ils se sont retrouvés la veille. Faiseux ceux qui bûchent comme des damnés quand le contremaître passe, puis qui s'assoient sur une souche pour fumer après qu'il est parti. Gaspilleux ceux qui ont plus de talent dans les débits de boisson que les mains sur le manche de la hache. Ast'eure, pour finir, je vais vous dire un secret. Les Anglais sont pas plus fins que nous autres. Ils ont deux bras puis une tête pareil comme nous autres. Seulement, ils se servent peut-être plus souvent de leur tête que de leurs bras. Nous autres aussi on a de la tête les Canadiens français ! Vous me croyez pas ? Mon petit doigt me dit qu'il y en a un parmi vous autres qui est fait pour devenir le Premier ministre de la Province de Québec un jour. Prépare-toi, p'tit gars ! Puis vous autres, arrêtez de regarder votre voisin en vous disant que ça doit être lui parce qu'il a plus de talent que vous ! Le prochain Premier ministre du Québec, ça peut être chacun de vous autres ! Oubliez jamais ça dans vos prières !

Métivier se rassit pendant que les scouts le remerciaient de ses propos tonifiants en poussant le cri de ralliement de leur meute. Il se pencha tour à tour à gauche et à droite pour recevoir les félicitations de ses voisins. Quelqu'un mit la main sur son avant-bras. Métivier se retourna. C'était l'abbé Tessier. Métivier sourit, heureux que cet homme estimé ait pu entendre ses propos. Mais l'abbé avait des rides sur son front dégarni.

—Je peux vous dire un mot en particulier?

—Tout de suite?

—J'ai fait deux cent cinquante milles pour venir vous parler.

Métivier reprit sa cigarette dans sa soucoupe et entraîna l'abbé dans son bureau. Le portrait des père et mère de Métivier au mur. Une grande carte de la Mauricie. Des dossiers bien alignés. Des fauteuils de cuir. L'abbé alluma un cigare.

—Vous avez des nouvelles de monsieur Ramier? demanda-t-il.

Au tour de Métivier de froncer les sourcils.

—Je suis supposé en avoir?

—On ne vous appelle pas le Roi de la Mauricie pour rien! Vous contrôlez tout ce qui se passe sur votre territoire.

—Si je savais où est le Français, objecta Métivier, qu'est-ce que ça changerait?

L'abbé Tessier ne le quittait pas des yeux. Le téléphone sonna. Métivier décrocha. Son correspondant devait lui parler en anglais de nouvelles coupes de bois à effectuer l'an prochain, de marges de profit et de contrats à signer. Métivier lui répondit à coups de petits «yes» et «no» saccadés. La conversation se conclut par un rendez-vous le lendemain. Métivier replaça le combiné et se tourna vers l'abbé, dissimulant mal son agacement.

—Je vais vous dire une chose une fois pour toutes. Le Français a bien plus besoin de vous que de moi! Trouvez-le, confessez-le, remmenez-le dans le droit chemin, puis retournez-le en France! Moi, je ne veux plus entendre parler de lui!

Une heure plus tard, la nuit tombée, l'abbé Tessier se retrouvait dans la cabane du bonhomme Bélanger. Deux chandelles sur la table et un bouquet de fougères dans un pot marquaient de signes tangibles que la Fête-Dieu se célébrait aussi au fond des bois. Mais Étienne Bélanger, sa femme Juliette et Osias, le dernier des fils, se déplaçaient comme des noyés dans la cabane, les gestes flous, le regard vide. Même la présence de leur visiteur ne les tira pas de leur torpeur. On fit asseoir l'abbé. On lui servit un petit verre d'eau des anges. On ne semblait pas comprendre la raison de sa venue. L'abbé aborda le sujet de front, le menton en avant, les mains sur la table, à côté de son chapeau de paille.

— Vous avez des nouvelles de votre fille ?

Il venait de parler de corde dans la maison d'un pendu. Une fois de plus, le bonhomme Bélanger adopta une attitude désespérée, les yeux levés vers les cieux.

— Qu'est-ce que j'ai fait au bon Dieu pour mériter un sort pareil ? J'ai onze enfants. Pas un m'a donné de la misère de même ! J'ai l'âme triste à mourir !

L'abbé Tessier frappa sur la table. Il se leva. Le visage pourpre. Le menton tremblant.

— Ça va faire ! Je ne suis pas venu ici pour t'entendre te lamenter sur ton sort ! Non mais c'est vrai, Batêche ! Tu es plus braillard que mes filles des Écoles ménagères ! Prends sur toi, bout de cierge !

Il se tourna vers la femme du colosse.

— Je me demande comment vous faites pour endurer une amanchure de même !

Il interpella Osias, figé près de la porte, toujours prêt à déguerpir, un pied dedans, un pied dehors, jamais vraiment là où il se trouvait.

– Puis l'autre, c'est pas mieux ! Un lièvre !

L'abbé se ressaisit. Son médecin l'avait prévenu contre ces accès de colère qui pouvaient le mener au coup de sang. Il se rassit sur son banc.

– C'est vrai, ronchonna-t-il, ça devient fatigant à la longue de t'entendre chialer de même ! Le bon Dieu t'en demande pas tant ! Puis moi je suis pas venu ici pour te regarder te morfondre ! On va la retrouver, ta fille ! Pas plus tard que demain matin !

Osias allait filer. L'abbé le retint de la voix.

– Toi, tu restes ! On va avoir besoin de toi !

Ils se mirent en route à la barre du jour. Avant le départ, Juliette les avait chargés de victuailles. Ils marchaient en file, le patriarche devant, l'abbé au milieu, Osias derrière. Un vent doux caressait la cime des arbres. Ils parvinrent à l'emplacement de la cascade où Mathilde avait érigé une hutte de branches comme un temple naïf à ses amours.

– C'est ici que ça s'est passé, déclara Bélanger.

Ils examinèrent les abords de la hutte. Aucun indice. Ils s'en éloignèrent en dessinant des cercles. Osias attira soudain l'attention des deux autres. Des fougères cassées, déjà roussies. Une trace dans les herbes. Elle menait au nord.

Ils marchèrent toute la matinée. L'abbé s'épongeait le front et le cou avec son mouchoir. Étienne Bélanger regardait droit devant lui. Son fils Osias courait partout comme un loup-garou. Ils traversèrent des savanes, des marécages, des collines boisées. Ils longèrent la rivière aux Rats. Osias la reconnut aux trois grosses roches qui en fendaient le cours. Ils contournèrent le lac du Missionnaire. À midi, ils débouchèrent dans une clairière. Une cabane de trappeurs s'y dressait. La porte ouverte. Silence. Ils s'approchèrent. Les vitres de la fenêtre fracassées. Du sang séché sur l'herbe. Étienne Bélanger allait hurler sa détresse. L'abbé Tessier le retint en le regardant dans les yeux.

– Pas si vite ! Il n'y a rien qui nous dit que c'est eux autres !

Ils fouillèrent la cabane. Des traces de passage récent, mais rien qui permette d'identifier les occupants. Des sapinages frais sur la couchette. Du bois pour le feu. Des épluchures de pommes de terre. Une cartouche vide sur le plancher. Osias la ramassa et l'examina.

– Du douze numéro cinq. Ça peut être elle.

– Pas si vite ! intervint l'abbé. Tout le monde chasse avec des cartouches comme ça ! Ça veut rien dire ! Pour commencer, on va prendre une bouchée. Ça va nous éclaircir les idées. Batêche ! je me sens l'estomac dans les talons.

On avait tiré la table près de la porte. Ils la remirent en place et mangèrent en s'observant. Sitôt le repas de fortune terminé, ils sortirent tous les trois en même temps. L'abbé retint le bonhomme près de lui pendant qu'Osias explorait les alentours. Il y avait une gravité inhabituelle dans le ton de la voix de Tessier.

– Je sais pas ce qui s'est passé ici, mais c'est pas beau !

– Ma petite fille... bégayait Bélanger.

– D'une manière ou d'une autre, il va falloir te préparer à pardonner.

– Pardonner à qui ? demanda Bélanger.

– À tout le monde... à elle, à monsieur Ramier, à ceux qui leur ont fait du mal peut-être.

Bélanger se crispa sous le choc.

– Dites pas ça ! cria-t-il, dites pas ça ! J'aimerais mieux que le bon Dieu m'écrase comme un œuf d'oiseau ! Dites pas ça ! Il est rien arrivé à ma fille ! Il est rien arrivé !

C'est alors qu'Osias attira leur attention.

– Venez voir !

À l'orée de la clairière, au pied d'un grand pin, le jeune homme venait de découvrir une toile abandonnée. Un trou la crevait en son centre. L'abbé l'examina en replaçant les lambeaux de la toile à l'emplacement de la déchirure. Elle représentait la cabane de trappeurs, mais l'auteur du tableau l'avait embellie au point de la rendre presque aussi coquette qu'une gentille habitation d'amoureux. Qui avait crevé la représentation du bonheur ?

– Tu vas avoir besoin de beaucoup de courage, dit Tessier à Bélanger.

En même temps, il regardait autour de lui comme si la menace pouvait surgir à tout instant de la forêt sombre. C'était exactement ce qu'avait fait Henri Ramier en sortant de la cabane au petit matin, deux jours plus tôt.

Après l'agression dont ils avaient été victimes pendant la nuit, et la conduite pour le moins surprenante qu'Henri avait adoptée en se recroquevillant sur le lit pendant que Mathilde défendait la cabane contre les assauts de quatre Anglais ivres, le peintre ne semblait plus s'appartenir. Mathilde l'avait tenu dans ses bras en murmurant une mélodie apaisante comme on le fait pour les enfants inconsolables. Henri ne savait que répéter «Pardonne-moi !» À la première lueur du jour, il avait commencé à balbutier des explications.

– C'est à cause de la guerre. Tu ne peux pas comprendre. J'ai tenu dans mes mains les tripes chaudes d'un de mes camarades. En une autre occasion, j'ai reçu au visage la cervelle en bouillie de mon voisin de tranchée. Puis un jour j'ai flanché. Nous devions donner l'assaut. Je me suis roulé en boule et je n'ai plus bougé. Ni les ordres ni les coups n'ont rien pu y changer. Depuis, quand on se bat autour de moi, c'est au fond de cette tranchée du *Chemin des Dames* que je me retrouve. Tu comprends ? Pardonne-moi.

Mathilde chantonnait toujours. La lumière finit par apaiser Henri. Il fit quelques pas dans la cabane. Le plancher tanguait sous ses pieds comme s'il s'était trouvé sur le pont d'un navire par gros temps. La fatigue lui donnait des coups de poing sur les oreilles. Une boule de nausée au fond de l'estomac.

– On ne peut pas rester ici, avait-il dit.

Mathilde en avait convenu. Ils avaient rassemblé leurs affaires en hâte, en même temps qu'ils échangeaient des bribes de réflexions.

– Tu crois que les Anglais nous attendent ? avait demandé Henri.

– Après ce que je leur ai passé, ils en ont pour un petit quart d'heure à se remettre ! Mais ils vont revenir ! Je te l'avais dit, ils sont méchants les Anglais.

– Tu crois qu'on pourra filer sans qu'ils nous voient ?

– En remontant vers le nord, avait expliqué Mathilde, la rivière coule à travers un marécage. Ils pourront pas s'approcher.

Henri s'était arrêté, une casserole à la main.

– Tu veux aller au Nord ?

101

– Il n'y a pas d'autre chemin, je pense ?

– Je croyais que tu souhaitais rentrer chez tes parents.

Au tour de Mathilde de se figer.

– Tu ne veux plus de moi ?

– Ce n'est pas ça, mais... on peut vivre ailleurs qu'en plein bois...

Mathilde se planta les poings sur les hanches.

– Regarde les choses en face. En bas, chez mes parents, c'est pas sûr qu'ils nous donnent leur bénédiction. D'un autre côté, à part les Anglais, personne viendra nous demander des comptes dans le bois. Puis les Anglais, s'ils reviennent, cette fois-là je pardonne pas.

En même temps, elle tapotait la crosse de son fusil. Henri s'était approché d'elle. Il la regardait sans la voir. L'écoutait sans l'entendre. Prisonnier de sa stupeur.

– Tu comptes rester longtemps dans la forêt ?

– Le temps qu'il faudra, trancha Mathilde avant de se remettre à ranger ses affaires dans son *packsack*.

Henri l'imita. Son sac rempli, il sortit le premier. Inquiet. Il marchait sans faire de bruit. Sa pipe, qu'il n'avait pas allumée, lui soulevait le cœur par sa seule odeur. Les arbres autour de la clairière, soudain hostiles. Il s'approcha de l'endroit où il avait laissé son chevalet et son tableau la veille. La toile avait été piétinée. Un grand trou en son centre.

Henri la ramassa et la regarda un instant avant de la jeter avec rage au pied du pin qui chantonnait au-dessus de sa tête. Il prit son chevalet, ses pinceaux, ses couleurs, les fourra dans son sac et revint en hâte vers la cabane. Mathilde sortait.

– Allons-y, dit-il. Il n'y a pas de temps à perdre.

Ils filèrent vers la rivière où une autre déception les attendait. Ils avaient dissimulé leur canot dans les broussailles de la berge. Les Anglais l'avaient trouvé et l'avaient pris. Mathilde posa sa tête sur l'épaule d'Henri en inclinant le torse.

– Je suis fatiguée, dit-elle.

Au tour d'Henri de relever la tête.

– Nous marcherons jusqu'à la fin des temps s'il le faut, mais personne ne viendra se mettre en travers de notre chemin ! Je te le jure !

L'instant d'après, il s'étaient évanouis dans la nature, et maintenant le bonhomme Bélanger et l'abbé Tessier en étaient réduits à se demander s'ils avaient survécu aux événements dont ils devinaient le tragique en examinant la cabane et ses abords. C'est l'abbé Tessier qui constata le premier la disparition d'Osias.

– Où c'est qu'il est passé celui-là ?

Ils l'appelèrent en vain. Bélanger rassura son compagnon.

– C'est pas la première fois qu'il me fait ce coup-là. Il est vif comme un chevreux. On le reverra dans une heure ou dans une semaine.

En même temps qu'il parlait, il fixait son regard à la cime des arbres.

– Mon Dieu ! c'est pas de la fumée que je vois là ?

À la même heure, un des garde-feu de Métivier téléphonait au Panier Percé pour annoncer qu'un incendie s'était déclaré sur le versant nord du lac du Missionnaire.

8.

Félix Métivier entra dans son bureau du Panier Percé un peu avant onze heures. Il faisait bouger sa moustache en étirant les muscles de ses joues, ce qui était le signe d'une extrême mauvaise humeur. L'un des commis fila lui chercher du café pendant que l'autre lui résumait les faits.

– C'est le gars de la tour trente-six qui les a trouvés. Désaulniers qu'il s'appelle. Un maudit bon homme. Avec lui, ça farfine pas...

– Accouche !

– Quatre gars qui traînaient dans le bois sans permis. Des Anglais. Assez maganés à part ça. Il y en a un qui a du plomb dans le bras. L'autre, la face brûlée. Les deux autres ça vaut pas plus cher. Ils se sont mis à six pour les ramener. Depuis qu'ils sont arrivés ils parlent à personne.

– Où c'est qu'ils sont ?

– Dans le camp du contremaître.

– Je vais m'arranger avec eux autres.

En sortant, Métivier faillit renverser le premier commis qui lui apportait son café. Il prit la tasse et s'en alla d'un pas vif vers le camp du contremaître. À son arrivée, les Anglais levèrent sur lui des yeux de chiens méchants. Le camp sentait mauvais. Métivier s'assit à cheval sur une chaise et but son café en observant ses invités forcés.

– À présent, vous allez me dire ce qui s'est passé, commença-t-il en anglais.

Les quatre hommes se regardèrent. Ils venaient de comprendre qu'ils avaient affaire au patron. L'un d'eux se décida enfin à parler. C'était celui qui avait semblé mener les autres lors de l'assaut contre la cabane de trappeurs. Un grand avec des cheveux noirs et frisés.

– On n'a rien fait de mal, déclara-t-il. Juste une petite excursion dans le bois.

– Vous venez d'où ?

– New Brunswick. On a été engagés par la Fairfax Lumber pour draver la rivière Wessonneau. On n'a pas pu s'entendre avec la *gagne*. Du monde pas parlable. Ça fait qu'on a pris nos cliques puis nos claques, puis on a décidé de faire une petite promenade dans le bois avant de rentrer chez nous.

– Vous n'avez pas demandé de permis de circuler ?

L'Anglais fit signe que non.

– Puis vous aviez plus de whisky blanc que de nourriture dans vos bagages ?

L'Anglais baissa la tête.

– Vous avez dérivé combien de temps dans le bois en prenant un coup ?

– Peut-être une semaine.

– Mes hommes vous ont pas arrêtés ?

– Il y a un garde-feu qui nous a demandé nos laissez-passer. On lui a répondu qu'on s'en allait à Trois-Rivières. Il nous a pas badrés plus longtemps avec ça.

Métivier hocha la tête. Une négligence dont on

devrait lui rendre compte. Il poursuivit son interrogatoire.

– Qui vous a arrangés de même ?

L'Anglais regarda ses compagnons avant de répondre.

– Une femme...

Métivier sourit dans sa moustache. Il venait de retrouver Mathilde.

– Qu'est-ce que vous lui aviez fait ?

– Rien du tout ! On est arrivé proche d'une cabane, il y avait un homme puis une femme, du monde de même moi j'en ai jamais vu, le gars il faisait de la peinture, pas de la peinture sur les murs, je veux dire des œuvres d'art, on a commencé à parler avec lui puis la femme nous a tiré dessus.

– Sans avertissement ?

– On est revenu un peu plus tard pour discuter...

– Pour discuter... souligna Métivier.

– ... mon *chum* Michael il a reçu du plomb dans le bras, l'autre, Freddy, ils lui ont jeté de l'eau bouillante dans la face, puis le troisième, Sean, ils l'ont assommé. Moi j'ai réussi à me réchapper en emmenant les blessés. Des vrais Sauvages, monsieur, ces gens-là, je vous le dis !

Métivier jouait toujours avec sa moustache.

– L'homme et la femme, qu'est-ce qu'ils sont devenus ?

– On est repassé par là le lendemain matin. Ils avaient disparu. Vous les connaissez ? Je pense que c'est des évadés.

– Puis moi je pense que vous êtes en train de me mentir en pleine face ! Ça fait que si vous voulez, on va reprendre ça depuis le commencement, votre petite histoire.

107

Il posa sa tasse près de sa chaise sur le plancher et sortit son paquet de cigarettes de sa poche. Le commis entra en coup de vent.

— Monsieur Métivier ! Le feu est pris dans le bois ! Désaulniers vient d'appeler. Ça brûle au nord du lac du Missionnaire.

Métivier était déjà debout.

— Préviens la *Protective*.

— C'est déjà fait.

— Demande-leur de m'envoyer un hydravion.

— Tout de suite *boss*.

Le commis allait sortir. Métivier l'arrêta d'un mot.

— Attends !

Il s'avança vers l'Anglais qui venait de lui jouer un air de violon en l'enrobant de mensonges.

— Où ça s'est passé au juste votre histoire ?

— Au bord d'un lac.

— Quel lac ?

— Un grand lac long avec des îles.

— Ce ne serait pas le lac du Missionnaire, par hasard ?

— Peut-être bien...

Métivier se tourna vers son commis en désignant les Anglais d'une main qui tremblait.

— Eux autres, ils sortent pas d'ici ! Compris ?

Quarante-cinq minutes plus tard, Métivier survolait le brasier. Les grands exploitants des concessions forestières s'étaient regroupés en 1912 pour former un organisme de lutte contre les incendies de forêt, la *St. Maurice Forest Protective Association*. On avait construit quatre-vingt-deux tours d'observation. Trois cents gardes-feu s'y relayaient. Le gouvernement avait cédé quelques hydravions à l'entreprise. Et surtout, on s'était engagé à mettre les ressources de chacun au service de celui dont le territoire brûlait. Ce n'était pas superflu. Chaque été, des incendies se déclaraient. On parlait encore de celui de 1870 qui avait ravagé six millions quatre cent mille acres, anéantissant huit villages du Saguenay-Lac Saint-Jean, un feu de cimes qui avait couru sur cinq cents milles, soit un peu plus de huit cents kilomètres. Plus récemment, au début des années 20, plus de cinq millions d'acres avaient été dévorés par l'élément en trois saisons consécutives de grande sécheresse. Il ne fallait donc pas s'étonner que les exploitants forestiers prissent chaque alerte avec autant de sérieux que les forces policières traitaient les crimes commis dans les centres urbains. Il y allait de leur survie financière.

À bord de l'hydravion de la *Protective*, Félix Métivier évaluait la menace. Un grand pan du versant nord du lac du Missionnaire flambait. Un panache de fumée et une crête rouge qui dansait sur le paysage. À première vue, il fallait se réjouir du vent du nord-ouest qui poussait les flammes vers le lac. Le feu courait à sa perte et finirait par se jeter à l'eau. Mais il fallait compter avec les ressources de l'élément. On avait vu des incendies sauter des obstacles plus importants. Métivier demanda au pilote de se poser sur le lac.

Il y avait plus de fumée que d'air à sa surface. Comme un brouillard de petit matin frais, mais en plus dense. On ne voyait pas le soleil. Et l'odeur finissait par vous assommer. L'hydravion redécolla.

Il survola à basse altitude le flanc nord de l'incendie. Malgré le vent, le feu progressait aussi dans cette direction, mais de façon moins soutenue. À l'ouest, cependant, se voyait une coulée qui contournait le lac et s'échappait vers les chairs grasses d'une forêt de conifères. Métivier demanda au pilote s'il se trouvait un cours d'eau de ce côté. L'homme acquiesça et vira. Cinq minutes plus tard, ils se posaient sur un étang à peine assez grand pour freiner l'appareil. Pas de feu à cet endroit, mais l'odeur persistante qui vous soulevait le cœur. Dorénavant, il n'y aurait plus de soleil tant et aussi longtemps que l'incendie n'aurait pas été maîtrisé. Des hommes abattaient des arbres et dégageaient les broussailles pour essayer d'arrêter la progression du feu sur un terrain dépouillé. C'était jeter un seau d'eau sur une grange qui flambe, mais on ne pouvait se permettre de ne pas tout tenter. Métivier s'approcha. Un souffle chaud dans l'air en fusion. Un grondement lointain. Les faces déjà noircies des combattants.

– Qui c'est qui commande ici ? demanda Métivier.

– Baptiste Bruneau.

– Où est-il ?

On fit un geste vague en direction des entrailles de la forêt. Métivier s'y enfonça.

Il y faisait presque aussi noir que la nuit. Les hommes n'étaient plus que des formes fugitives. Pas de feu, mais une fumée qui semblait surgir du sol. Un frémissement dans l'air comme une convulsion sur la peau d'une bête énorme. Métivier se retrouva devant un groupe qui reprenait haleine, autant que c'était possible dans l'air enfumé, en respirant à travers des mouchoirs noués sur leur nez et leur bouche.

– Bruneau ?

Un homme s'avança. Félix Métivier vint à sa rencontre.

– Qu'est-ce que t'en penses ? demanda le patron.

– On a autant de chances d'en venir à bout que de trouver des morpions dans les culottes du pape !

Métivier ne releva pas la comparaison irrévérencieuse.

– Désaulniers ? demanda encore Métivier.

– La dernière fois qu'on lui a parlé, le feu était pogné partout en bas de sa tour. Ça flambait en Sacrement ! Bonne idée que vous avez eu de leur mettre des pattes en acier à vos tours ! Pas de nouvelles depuis ce temps-là. Comme de raison, le feu a mangé le fil du téléphone. Mais je m'en ferais pas trop pour lui. Il doit en être rendu à peu près à une centaine de dizaines de chapelets à l'heure qu'il est. On va le retrouver la face noire demain matin, mais bien vivant.

Métivier acquiesça et revint près de l'étang où le pilote de l'hydravion l'attendait.

– Tu vas me mener au petit dépôt numéro quatre.

Ce dépôt se trouvait sur la trajectoire prévisible des flammes. Un camp pour une dizaine d'hommes, des étables, une forge et des entrepôts. Le dépôt approvisionnait une dizaine de camps de sous-contractants. Il n'était occupé, en cette saison, que par le commis et le forgeron. Une dizaine de chevaux. Des porcs et des poules. Le commis et le forgeron s'employaient à immerger des barils de carburant dans la petite rivière Tortue. L'arrivée de l'hydravion leur fit lever la tête. Félix Métivier et le pilote les aidèrent à terminer leur tâche.

Puis ils libérèrent les animaux, les chevaux fous de

peur, les vaches hagardes, les cochons méchants entre eux et les poules énervées. Chacun pour soi. Les bêtes ne pouvaient plus compter que sur leur instinct.

– On a des chances de sauver le dépôt ? demanda Métivier au commis.

C'est le forgeron qui répondit.

– On est dans une baisseur. J'ai déjà vu ça, le feu passer par-dessus.

Il tortillait ses mèches de fins cheveux blancs en parlant. Métivier inspecta une dernière fois les lieux d'un vaste regard circulaire. Deux silhouettes venaient dans leur direction en longeant la berge de la rivière. Ils se précipitèrent à leur rencontre. C'étaient l'abbé Tessier et le bonhomme Bélanger. Hors d'haleine. Bélanger ne savait que répéter :

– Ma petite fille est dans le feu !

On les entraîna au dépôt. Ils burent de l'eau fraîche comme s'ils venaient de traverser le désert. Puis l'abbé s'adressa à Métivier.

– On a trouvé la cabane où ils se sont réfugiés.

– Je sais.

– Mais ils ne sont plus là. Il s'est passé quelque chose. On a vu du sang sur l'herbe.

– Je sais, répéta Métivier.

L'abbé était trop énervé pour entendre ce que l'autre lui disait. Il poursuivit.

–On a la preuve que c'est eux-autres. On a retrouvé un tableau de monsieur Ramier.

– Je sais, dit encore Métivier.

– Quoi ? Qu'est-ce que vous savez ?

– Ils ont été attaqués par une bande d'Anglais qui se promenaient dans le bois, annonça Métivier.

– Qui vous l'a dit ? demanda Bélanger.

– Les quatre gars sont au Panier Percé.

– Ma fille ? interrogea le patriarche.

– Les Anglais ne lui ont pas fait de mal, pas plus qu'au Français d'ailleurs, mais nos tourtereaux sont quelque part là-dedans.

Relevant la tête, il désigna l'enfer de fumée qui déboulait sur eux. Le vent s'était levé, et ce vent était le souffle que le feu poussait devant lui. Déjà des brindilles enflammées et des écorces pourpres volaient comme des oiseaux de malheur. La cime d'une épinette flamba.

Pour leur part, Mathilde et Henri ne pouvaient savoir ce que les éléments leur réservaient. En quittant la cabane de trappeurs, ils avaient dirigé leurs pas vers le nord. Henri marchait devant, tassé sous son *packsack* d'où dépassaient les pieds de son chevalet, sa dernière toile vierge tendue sur un cadre de bois blanc accrochée par-dessus. Mathilde venait derrière, le fusil à la main. Ils avançaient lentement. Le silence refermait une porte dans leur dos.

– Tu dois bien te demander quel homme je suis, dit soudain Henri.

– Si je ne le savais pas, répondit Mathilde, penses-tu que je serais ici avec toi ?

Elle pressa le pas pour venir à sa hauteur. Elle écartait les branches avec sa main libre.

– J'ai de l'admiration pour toi, insista la jeune femme.

Henri tourna vers elle des yeux fatigués mais chargés de vérité.

– Après ce que j'ai fait cette nuit ?

– Tu m'as étonnée, c'est vrai, puis j'ai ouvert les yeux. T'es franc comme l'épée du roi. Un homme

113

qui pleure devant une femme, c'est un homme courageux. À présent je ne te laisserai plus aller.

Henri la força à s'immobiliser près de lui et la retint en baissant le ton.

— Tu sais, ma peur, je crois que j'en suis guéri à jamais. Grâce à toi.

Mathilde se jeta à son cou. Henri fut presque renversé sous le choc chaleureux. Il se ressaisit.

— Je dois aussi te faire un aveu.

Le visage de Mathilde s'assombrit. Tout de suite, Henri lui prit la main pour l'apaiser.

— Au début, j'ai cru que toi et moi c'était une aventure de passage. Je profitais des instants de bonheur que tu m'offrais. Depuis cette nuit, je sais que nous sommes destinés à vivre ensemble.

— Ça t'a pris tout ce temps-là pour t'en apercevoir ? s'étonna Mathilde avec une pointe d'ironie.

— Je résistais. Ma raison faisait obstacle. Maintenant, je pense autant avec mon cœur qu'avec ma tête.

— Comment ça se fait, s'interrogea Mathilde, que les femmes savent ça puis que les hommes doivent souffrir pour l'apprendre ?

Elle rit en prenant l'autre main d'Henri et en attirant à elle l'homme que la vie lui donnait.

— T'es pas mal compliqué, dit elle, peut-être parce que t'es un Français, mais t'as des belles qualités.

Elle se remit en marche en l'entraînant à sa suite. Elle avançait à grands pas comme si elle cheminait vers la terre promise.

Ils atteignirent une forêt d'épinettes qui bruissait d'insectes. Ils se fondirent dans la touffeur verte. Le ciel se couvrit. Le soleil disparut. Une heure plus tard, Mathilde s'arrêta. Elle posa son sac. Elle regarda autour d'elle, les traits tendus.

– Tu ne sens rien ? demanda-t-elle.

Une odeur de roussi rampait entre les troncs résineux.

– Le feu ! s'exclama Henri.

Ils n'en voyaient encore rien, pas même la fumée qui devait dériver au-dessus de la cime des arbres, mais ils savaient tous deux que le feu court dans la forêt comme un cheval emballé. Ils s'élancèrent. Bientôt, le grondement de l'incendie roula derrière eux. Un souffle chaud les rejoignit. Un frémissement embrasa l'air puis l'incendie éclata partout en même temps.

Ils avaient lâché leur sac. Ils fuyaient. Autour d'eux, les épinettes en flammes éclataient comme des bombes. Les débris allumaient de nouveaux brasiers de tous côtés. Ils couraient sans savoir où ils allaient. Ils zigzaguaient à la façon des lièvres qui déjouent le sort à chaque instant.

Au moment où l'espoir allait les abandonner, ils débouchèrent sur la rive d'un lac. Ils s'y jetèrent et pataugèrent jusqu'en eau profonde. À bout de souffle, ils respirèrent sans s'apaiser. Bientôt ils comprirent. Le feu dévorait l'oxygène. Mathilde plongea la tête sous l'eau. Henri l'imita. En refaisant surface il leur sembla que l'air était un peu plus respirable.

Ils se tenaient par la main. Ils tremblaient. Pour eux désormais, vivre c'était survivre.

9.

En vingt minutes, le feu avait sauté par-dessus le dépôt numéro quatre, laissant derrière lui un silence noir ponctué des craquements soudains des branches cédant sous le poids de leur bois consumé. La terre fumait. L'étable avait brûlé mais le camp avait été épargné. Vingt fois son toit de planches sèches avait commencé à roussir sous l'effet d'un tison. Vingt fois les hommes avaient fait la chaîne en se passant des seaux que le forgeron jetait du haut de son échelle. Maintenant, ils arrosaient les ruines de l'étable. La paille se consumerait pendant des jours, ils le savaient, mais ils voulaient éviter le jaillissement des hautes flammes. Les animaux avaient fui devant le feu. On retrouverait sans doute les survivants autour des installations situées plus bas. Sur la berge de la rivière, les barils épargnés flottaient entre deux eaux. Somme toute, on s'en était tiré à bon compte.

Félix Métivier se redressa, les reins endoloris par l'effort. Il avait le visage et les mains tout noirs. Ses compagnons également. Ils rirent de bon cœur en se montrant du doigt, plus longtemps qu'il n'était nécessaire, pour libérer la tension accumulée dans leurs muscles et dans leurs nerfs, puis ils allumèrent des pipes, des cigares et des cigarettes, comme pour narguer le feu. Seul le bonhomme Bélanger ne fumait pas.

– Ça m'a bien l'air que c'est parti du côté des concessions de la McTavish, déclara Métivier. S'ils sont chanceux ils vont l'arrêter au petit lac Quatre-Saisons.

– Le bon Dieu nous a épargnés, dit le bonhomme Bélanger, c'est pour qu'on se porte au secours de ma fille.

Métivier intervint promptement.

– Inutile ! C'est comme chercher une aiguille dans une botte de foin. Si elle a pas été touchée par le feu, elle reviendra par elle-même. D'un autre côté, si par malheur il lui est arrivé quelque chose, les hommes vont la retrouver. Ils vont marcher chaque pouce de terrain qui a brûlé. Je vais vous faire reconduire chez vous par l'hydravion. Si votre fille est en vie, c'est là que vous allez la revoir.

Le bonhomme Bélanger se lamentait.

– Mon Dieu, mon Dieu !

Il se signa. Métivier fit signe à l'abbé Tessier qui entraîna le patriarche vers la berge de la rivière où le pilote avait échoué les flotteurs de son appareil.

– L'abbé va rester avec vous en attendant qu'elle revienne. Vous allez pouvoir faire des prières ensemble.

L'hydravion s'éleva au-dessus du pan de forêt dévastée. En bas Métivier évaluait le bois perdu pendant que là-haut Bélanger cherchait sa fille là où elle ne pouvait se trouver. De son côté, Tessier s'inquiétait pour le Français.

Dans l'eau du lac où ils s'étaient réfugiés, Mathilde et Henri serraient les dents en grimaçant. Ils survivaient à chaque instant par un effort suprême de leur volonté. Le feu grondait au-dessus de leur tête. L'eau s'empourprait comme un sang. Même l'air semblait en fusion. Ils se tenaient dans une étreinte de noyés et s'immergeaient le plus longtemps qu'ils pouvaient pour apaiser la brûlure de leurs poumons. Pendant l'un des intervalles où ils refaisaient surface, ils aperçurent une forme humaine sur la rive du lac. L'homme fit quelques pas et s'effondra sur la berge. Henri se précipita, bientôt suivi de Mathilde.

C'était Osias. Il n'était plus qu'une plaie vive. Des cloques avaient éclaté sur sa peau. Ses paupières boursouflées l'empêchaient d'ouvrir les yeux. La chaleur avait fondu ses sourcils et ses cheveux. Il ne savait plus que gémir. Il tremblait. Il vivait par sa souffrance.

Mathilde et Henri crurent bien faire en l'allongeant dans l'eau. Un hurlement venu du fond des âges les convainquit de renoncer à ce procédé. Ils le couchèrent sur les cailloux de la rive. Osias roulait sur lui-même comme un poisson privé de son élément. Ils le retenaient comme ils le pouvaient pour éviter qu'il ne s'écorche davantage.

Mathilde leva les yeux. Le feu s'était éloigné comme un cheval fou. Seuls quelques sapins flambaient encore. Le crépitement des derniers flambeaux annonçait le calme après la désolation. Que faire d'Osias? Plus une branche fraîche à disposer sous son corps douloureux. Par ailleurs, Mathilde et Henri ne savaient pas avec précision où ils se trouvaient. Une seule certitude, personne à des dizaines de milles à la ronde. C'est Henri qui prit la situation en mains.

119

– Nous ne sommes pas en mesure de le transporter. Par ailleurs, il est inutile d'attendre ici, il peut se passer plusieurs jours avant que quelqu'un vienne de ce côté. Reste avec lui, je vais chercher de l'aide.

Mathilde leva sur lui un regard désolé.

– Tu ne trouveras jamais ton chemin !

– Tu as peut-être mieux à suggérer ? riposta Henri.

Mathilde ne voulait pas laisser son frère dont la tête ballait entre ses mains. Henri poursuivit.

– Tu crois que je n'ai pas regardé en venant ici ?

– Tu ne reconnaîtras rien, se plaignit Mathilde, le feu a tout défiguré !

– Il reste les lacs et les rivières, fit observer Henri. Ils s'emboîtent les uns dans les autres. Je n'aurai qu'à les suivre. Tous les camps sont construits près de l'eau. C'est bien le diable si je ne trouve pas quelqu'un !

– Admettant même que tu trouves quelqu'un, objecta encore Mathilde, comment tu penses que tu pourras ramener les secours ici sans te perdre ?

– Je te le promets, répondit simplement Henri, je ne te ferai pas attendre longtemps.

Il désigna Osias qui souffrait au-delà de toute espérance.

– Celui-là non plus.

Il marcha en direction de la lisière des arbres calcinés. Il se retourna pour graver les lieux dans sa mémoire. Mathilde était penchée sur Osias comme une mère. Elle leva la tête pour regarder Henri s'en aller. Il était de plus petite taille que jamais.

Quelques minutes plus tard, Henri entrait de plain-pied dans le mystère. Depuis la nuit des temps, des cataclysmes bouleversaient la planète. On savait qu'à plusieurs reprises, la croûte s'était formée pour s'effondrer sous la pression du magma. Combien de fois la terre avait-elle changé de visage, et qui se souvenait dans l'univers des formes primitives des continents avortés ? Puis une menuiserie prodigieuse avait raboté, taillé et poncé le relief. Peut-être encore aujourd'hui les forces primitives agissaient-elles à une échelle imperceptible à la myopie humaine ?

Cette fois, le feu venait de dévorer une infime section de la forêt mauricienne à l'extrême nord-est du continent nord-américain, une action dérisoire à l'échelle universelle, mais au ras du sol une métamorphose profonde s'opérait. Parmi les cendres et les débris, le feu avait projeté la semence des pins gris dont les cônes avaient éclaté sous l'effet de la chaleur. Dans cinq ans, une population nouvelle dresserait ses rameaux verts sur le paysage éclairci. Des bouleaux tout aussi jolis qu'inutiles chanteraient en bouquets sur les côteaux, et les cadavres des épinettes consumées reconstitueraient l'humus au pied des repousses.

Pour l'heure cependant, la forêt n'était plus qu'un cri de branches noires entre lesquelles coulait la lumière indifférente. Les pas d'Henri soulevaient des touffes de cendre fine comme poussière. Il mettait le pied sur des squelettes d'oiseaux qui craquaient comme des cosses sèches. Il buta sur la dépouille d'un cerf surpris en pleine fuite, le mufle tourné vers l'eau de la rivière. Sa carcasse générerait les vers nécessaires à sa métamorphose et il n'y aurait plus à l'endroit de sa perte que des os silencieux.

Henri se surprenait d'entendre son cœur battre dans sa poitrine. Le flot de son sang le portait. Sa raison guidait sa marche, et ses sentiments mêlés de fierté et d'amour pompaient dans ses muscles une force stupéfiante. Il sut qu'il était une bête puissante parmi celles qui avaient survécu.

Il longea d'abord la berge du lac puis découvrit son embouchure qu'il franchit pour se retrouver sur la rive escarpée d'une rivière. Le soleil marchait derrière lui. Quelque part les horloges battaient l'avance de l'après-midi.

Le soir le trouva devant un grand lac calme. À cet endroit, la forêt n'avait pas été touchée par le feu. Henri se prit à le déplorer car la profusion végétale entravait sa progression. Il luttait contre des herbes tenaces. Il écartait des taillis touffus. Des souches surgissaient devant ses pas. La glaise de la berge suçait ses bottes qui n'avaient pas encore fini de sécher. Il trouva un canot sous les fougères. Son propriétaire n'avait évidemment pas laissé d'aviron dans l'embarcation. Henri s'en fit un avec une branche de saule. Il fila bientôt sur l'eau paisible.

Il aurait aimé bourrer sa pipe en cet instant de répit, mais il ne savait plus où il l'avait laissée. Son tabac en tout cas était resté dans son sac et le feu l'avait sûrement fumé avant lui. Il avironna avec plus de vigueur encore avec son bout de bois qui lui chauffait la paume des mains.

Depuis qu'il avait laissé Mathilde et Osias sur la rive du lac dont il ne connaissait pas le nom, Henri n'avait pas rencontré âme qui vive malgré la présence évidente de centaines d'hommes en forêt, luttant contre l'incendie à l'appel de la *Protective*. Le feu dérivait maintenant à l'ouest dans des moutonnements de fumée qui pouvaient figurer des nuages aux yeux d'un observateur inattentif.

122

Henri reconnut qu'il naviguait sur le lac Fou. Félix Métivier lui avait déjà fait connaître ce plan d'eau qui débouchait sur la rivière Vermillon, laquelle coulait devant le Panier Percé. Henri se dit qu'il irait jusque là s'il le fallait, dût-il avironner toute la nuit.

C'était compter sans la malice du lac. Ses méandres débouchaient sur d'autres méandres se fondant dans des sinuosités reliées entre elles par de courts bras connectant des détours à de nouveaux crochets. Partout des repères identiques, pierres édentées, épinettes accrochées au flanc d'une falaise et bouquets de joncs marquant l'entrée d'une passe. Après une heure de ce jeu décevant, Henri dut admettre qu'il ne savait plus où il se trouvait.

Le soleil avait plongé depuis longtemps derrière les collines. Impossible de demander sa direction au ciel. D'autre part, l'eau prenait une teinte sombre d'où semblait émaner une lueur intime. Henri commençait à sentir que la nature était peut-être encore en train de se jouer de lui.

Il naviguait dans une section étroite comprise entre une falaise et une berge basse. Il n'y avait pas suffisamment de courant à cet endroit pour qu'il puisse déterminer sa direction en fonction de l'écoulement de l'eau. Dans une heure, il ferait nuit. L'épaule qui imprimait la poussée à l'aviron le faisait souffrir. La faim irriguait des sources acides dans son estomac. Le doute sur sa capacité à remplir sa mission. Et, toujours, cette image de Mathilde penchée sur le corps meurtri de son frère. Un coup de feu creva la pénombre.

Des plombs pétillèrent sur l'eau à proximité de l'embarcation. Henri rentra la tête dans les épaules.

Un autre coup de feu. Cette fois, la volée frôla ses cheveux. Henri poussa le canot à l'abri de la falaise. Son cœur sonnait le tocsin à ses oreilles. Le flux du sang jusqu'à la racine des ongles. Il jeta de furtifs coups d'œil autour de lui. Rien ni personne. Alors il fila en longeant la côte.

Une rage sourde lui fouillait le ventre. Qui pouvait s'amuser ainsi à menacer sa vie quand la nature elle-même se soulevait contre lui ? Il avait envie d'enguirlander son assaillant mais cela n'aurait servi à rien d'autre qu'à révéler sa position. Il força l'allure. Un regard vers la falaise le rassura. Des rochers en surplomb le dissimulaient sûrement à son agresseur. Il commençait à penser qu'il lui avait échappé quand un fracas fendit l'eau devant lui. Un bloc de pierre s'engouffra, soulevant une vague qui monta à l'assaut du canot. L'embarcation roula mais Henri parvint à la maintenir à flot.

Il n'avait plus d'autre option que de gagner le large où il se fondrait dans la nuit naissante. Il s'agissait surtout de ne pas faire de bruit. Il avironnait en évitant de heurter le bord de son canot avec son aviron rudimentaire.

Le brouillard vint à sa rencontre. Henri s'y enfonça. Devant lui se dressait une pointe de terre avec son bastion d'épinettes. Selon son évaluation, il ne pouvait s'agir que d'une île. Il aborda et tira son canot en frôlant les branches basses jusqu'à un endroit dégagé entre les arbres. Il s'y installa, son canot près de lui comme un compagnon.

Il n'avait ni allumettes pour faire du feu, ni couverture pour se réchauffer, ni nourriture pour reprendre des forces. Les grenouilles et les ouaouarons battaient le rappel. Des nuées de moustiques embrasaient l'air. Henri commença par chasser ceux qui se posaient sur lui. Il se rendit vite à l'évidence que c'était inutile. Il resta donc immobile comme un sachem. La nuit tomba.

Il ne se rappelait pas avoir baigné dans du noir aussi absolu. Il ferma les yeux et les ouvrit. Aucune différence. Les ferma de nouveau. Pas de lueur sur la paroi intérieure de ses paupières. Avant la naissance ou après la mort, on connaissait peut-être un aussi total isolement. Mais sa conscience s'avivait. Elle braquait son faisceau sur les zones troubles de son passé.

Il alla d'abord chercher du vin à la cave pour son père. Le pichet tremblait dans sa main. L'escalier raide, le sol de terre battue, le mur de pierres qu'il longeait, agrippait la manche de sa blouse. Les tonneaux grondaient au fond. Celui qu'il ouvrit émit un gargouillis sonore. Henri se versa du vin sur les doigts. Les lécha dans un geste rituel. Il allait ressortir quand l'escalier résonna. Des pas. Une ombre grandit. L'ogre des terreurs enfantines allait le dévorer. Le petit Henri se colla à la paroi de pierres. Lentement, il s'accroupit sur les talons.

Il ne reconnut pas la voix de son père. Celui-ci était descendu à la cave parce qu'il avait changé d'avis sur le vin à tirer. Il se pencha sur son fils. L'enfant l'accueillit en luttant des pieds et des poings. Le père s'empara de lui comme d'un colis et le porta à la salle à manger où le petit Henri se débattit encore longtemps. On inscrivit au registre des souvenirs de famille la crise de démence qui avait secoué Henri pendant deux jours. Nul ne sut jamais à quel rite de passage il avait été soumis.

Et maintenant le peintre Ramier avait encore peur du noir dans son âge adulte. La forêt mauricienne grouillait de sa vie secrète. Henri n'osait étendre le bras de crainte que les créatures gluantes générées par les ténèbres ne viennent en contact avec sa peau. Il se faisait petit et dur, compact et fermé, lisse comme un roc.

Il n'est pas un être humain sur la terre qui n'ait hérité les terreurs primitives. Une brute, un soldat, un truand, à plus forte raison un assassin, ont froid dans le dos seuls dans la nuit, mais nul ne l'admettra. Ils sortent au matin de la forêt en chantant. Celui qui chante le plus fort a souffert plus que les autres. Henri chanta aussi, un air que Mathilde lui avait appris.

C'est dans le mois de mai, en remontant la rivière,
C'est dans le mois de mai que les filles sont belles.

Mathilde. Elle devait à l'heure présente chanter elle aussi dans le noir, et sa position n'était pas moins inconfortable parce qu'elle n'était pas seule, accrochée à une loque humaine que la fièvre et la souffrance faisaient délirer.

Pensant à Mathilde et à la panique qui s'était emparée de lui pendant que les Anglais assaillaient la cabane, la veille, Henri se consola un peu en se disant que pour la première fois, les images horribles de la guerre ne remontaient plus à la surface de sa conscience. Mais c'était toujours dans la nuit que ses souvenirs l'entraînaient. Cette fois, il courait dans les ténèbres entre les volets fermés des maisons muettes de Riscle. Il allait chercher le docteur.

Sa femme se tordait de douleur sur le lit, une toute petite femme avec de longs cils et des cheveux étalés sur l'oreiller. À vingt-sept ans, elle avait déjà épuisé sa provision de vie. Ce qui avait fait sa grâce, une fragilité intime, la consumait à présent. Pendant qu'elle s'accrochait à son souffle, Henri nageait dans le gluant de la nuit. Il ne reviendrait pas en temps. Le malheur, lui, n'a pas peur des ténèbres et profite du noir pour venir à la rencontre des vivants.

Henri en était à se demander où l'être humain trouvait encore la force d'espérer. Il se félicitait d'avoir opté, malgré tous les avis, pour les illuminations de la peinture. En art, chacun créait sa propre nuit et la déjouait en projetant la lueur de sa vision. Un choc brutal le renversa.

Quelqu'un ou quelque chose cherchait à l'étouffer. Henri se débattit. Il s'attendait à tout moment à sentir des griffes puissantes s'enfoncer dans sa chair. En se dégageant, il reconnut des vêtements sous sa main. Un homme.

L'inconnu se rua de nouveau sur lui, portant des coups au visage et à l'abdomen. Henri roula sur le côté, le souffle coupé. L'homme s'abattit encore une fois de tout son poids. Cette fois leurs deux visages se touchaient. Henri sentit l'haleine empoisonnée d'alcool de son attaquant. Il cria.

— Arrêtez, mais arrêtez, voyons ! Qu'est ce que je vous ai fait ?

Sans lâcher prise l'homme grommela.

— M'a te montrer moi ! Tu penses que je le sais pas ?

En même temps, l'homme le frappait. Henri esquivait les coups du mieux qu'il pouvait, mais comme il ne voyait rien, il ne les attendait pas toujours au bon endroit. Il ne parvenait pas non plus à raisonner la brute qui le malmenait. Tout au plus lançait-il des bribes de phrases en guise de bouclier.

– Vous n'avez pas le droit !

Les deux hommes luttaient dans le noir. Leurs gestes sourds et maladroits froissaient la nuit.

– Je vais vous expliquer !

Mais l'autre proférait toujours des menaces.

– M'a t'apprendre à vivre, moi ! Tu vas voir que Tilliam est pas aussi fou qu'il en a l'air !

Un éclair illumina la pensée d'Henri. Il avait rencontré l'hurluberlu qui portait ce prénom lors de son arrivée en forêt mauricienne. Tout en continuant de lutter pour ne pas être submergé, Henri fouilla dans sa poche et trouva ce qu'il cherchait.

– Arrête, Tilliam ! Regarde ce que j'ai là ! Touche !

En même temps, Henri s'efforçait de mettre sa patte de lièvre dans la main de son adversaire.

– Rappelle-toi ! C'est toi qui me l'a donnée ! Tu disais que c'était bon pour la *loque*.

Tilliam finit par saisir le talisman. Il s'immobilisa. Battit son briquet. La flamme révéla sa face de dément.

– Si tu l'avais dit avant que c'était toi, j'aurais pas été obligé de fesser de même !

10.

Tilliam avait caché un fusil et un fanal dans les broussailles. Il les récupéra et montra le chemin à son compagnon. Autant il s'était montré brutal peu auparavant, autant il déployait des trésors de prévenance pour faciliter la marche d'Henri.

– Attention là ! Ça descend à pic ! Accote ton pied sur la souche ! Accroche-toi après la branche ! Continue de même ! Encore une couple de pas puis t'es rendu en bas !

Il s'arrêtait pour éclairer le sentier sur lequel ils progressaient. Sa face hâve mangée d'yeux enfiévrés par l'alcool, donnait toute sa profondeur à la nuit.

– En automne, on pogne des perdrix par ici.

Ce qu'Henri avait pris pour une île n'était qu'une des nombreuses pointes de terre qui découpaient la berge du lac Fou. Ils parvinrent bientôt à l'emplacement du camp que les hommes de Métivier reconstruisaient à l'époque où le peintre avait mis le pied pour la première fois dans la profondeur de la forêt. Le fanal de Tilliam se refléta sur les vitres muettes. Quelques minutes plus tard, il arrivaient à la cabane de l'ermite. Le chien Ti-Loup menaçait de dévorer jusqu'à son maître. Il fallut des coups de pied pour le ramener à la raison. Ils entrèrent.

L'odeur des peaux de bêtes, mal tannées et tendues sur des cadres grossiers, grondait dans l'ombre. Tilliam écarta les assiettes d'étain souillées de nourriture séchée qui encombraient la table.

– Tu dois avoir faim ?

Henri avait dépassé le point où l'on est conscient de ce besoin. Sa fatigue le nourrissait. Il n'avait surtout pas envie de se mettre sous la dent quelque nourriture en décomposition. Il réclama simplement une tasse de thé.

Pendant que Tilliam allumait le feu et tirait l'eau dans un grand seau avec une louche, il s'expliquait avec son invité sur les raisons de son comportement agressif.

– Ils coupent le bois partout ! Ils mettent le feu ! Ils bâtissent des campes où ce qu'ils ont pas d'affaire ! Je t'ai pris pour un d'eux autres !

Il posa une tasse noircie de tanin devant Henri.

– Moi j'ai pour mon dire, le bois c'est à tout le monde et à personne ! Pourquoi c'est faire qu'ils auraient le droit, eux autres, puis pas moi ! Hein ? Peux-tu m'expliquer ça ?

Henri n'avait pas envie de se lancer dans un débat circonstancié sur l'exploitation de la forêt. Il répondit par une question. Il avait instinctivement repris l'usage du « vous » qui marquait une distance entre lui et son interlocuteur.

– Vous vivez ici depuis combien de temps ?

– Vingt-cinq ans de misère, répondit fièrement Tilliam.

– Quand je vous ai vu la dernière fois, vous aviez promis de me raconter dans quelles circonstances vous vous étiez établi ici.

La question en apparence innocente faillit gâcher leurs bons rapports. Tilliam s'agita. Il cherchait la boîte de thé sur la table et ne la trouvait pas.

— Le monde en bas ils sont pires que des animaux ! Sodome et Gomorrhe, tu m'entends, Sodome et Gomorrhe !

La culture biblique d'Henri lui permettait tout juste d'en déduire que Tilliam avait connu des déboires au temps où il vivait dans la plaine du Saint-Laurent. Il se garda d'intervenir pour laisser l'autre se vider le cœur.

— J'étais un assez gros cultivateur dans ce temps-là, dans le rang six de la Savane. Une femme, trois beaux enfants. Parti pour la gloire. Un matin je rentre à la maison puis je pogne ma femme puis son beau-frère dans la couchette. Si j'avais eu mon fusil à la main, je les descendais tous les deux. Le bon Dieu a pas voulu que je me fasse justice. J'ai sapré mon camp. Je suis monté dans le bois. Je me suis bâti une cabane. Ça fait vingt-cinq ans que j'essaie de m'ôter cette image-là de la tête.

Tilliam versa l'eau bouillante sur les feuilles de thé. Il laissa déborder la tasse d'Henri. Celui-ci avait retrouvé son regard intérieur. Le visage de Mathilde flottait dans la vapeur d'eau.

— Vous connaissez Étienne Bélanger ? demanda-t-il.

— Un maudit bon homme celui-là, renchérit Tilliam. Lui aussi il vit dans le bois. Ça peut pas être un mauvais diable.

— Vous ne voudriez pas qu'il lui arrive malheur ?

— Pas une miette !

— Vous allez m'aider. Sa fille Mathilde et son fils Osias sont au bord d'un lac, à une cinquantaine de kilomètres d'ici.

Tilliam n'entendait rien aux mesures françaises de distance.

— Parle pour que je te comprenne !

— Je ne sais pas, disons à sept ou huit heures de marche vers le nord. Osias a été brûlé dans l'incendie.

— Il est mort ?

— Pas encore, du moins pas quand je l'ai laissé. Mais il faut le tirer de là. Vous voulez m'aider ?

Tilliam regardait Henri comme s'il débarquait d'une autre planète.

— Toi aussi t'es un bon diable, finit-il par reconnaître. T'es pas comme eux autres, ça fait que t'es de mon bord. Certain que je vas t'aider. On va attendre qu'il fasse clair puis on prendra mon canot, puis on ira les chercher tes perdus !

Après le départ d'Henri, Mathilde avait concentré son attention sur le pauvre Osias. Le malheureux gémissait et tordait ses membres douloureux. Il ne reconnaissait pas sa sœur. Ses yeux sans sourcils appelaient la mort.

Mathilde avait voulu le bercer comme un enfant en posant sa tête sur ses genoux, mais chacun de ses mouvements avivait le mal qui ravageait le corps d'Osias. Il ne lui était plus resté que les paroles.

— Henri est parti chercher de l'aide. Ce sera pas long, il va revenir. On va s'occuper de toi. La mère va te soigner. Veux-tu bien me dire ce que tu faisais dans le bois, hein ? Tu courais après nous autres, c'est certain. Toi aussi tu penses qu'on n'a pas le droit de s'aimer, Henri puis moi ? Tu te fais des accroires, Osias. Tu vois, c'est toi qui est puni, puis nous deux, Henri puis moi, le feu nous a pas touchés. C'est un signe ! Ça veut dire que le bon Dieu est pas contre nous autres !

Au début, Mathilde n'avait pas envisagé la longue attente dans laquelle elle s'engageait. Quand le jour déclina, elle se mit à chanter.

Fais dodo, Colas mon p'tit frère,
Fais dodo, t'auras du lolo.

Mais à la nuit tombée elle demeura muette et immobile, vivante dans le noir. Osias ne bougeait pas non plus. Il avait cessé de gémir. On entendait parfois le râclement de sa respiration dans sa gorge, mais à d'autres moments il n'émettait aucun son. Mathilde mettait la main sur sa poitrine pour s'assurer qu'il vivait toujours. Henri ne revint que vers les neuf heures le lendemain.

Un matin de commencement du monde. Le fond du canot de Tilliam raclait les roches de la rive. Ce ne fut pas une mince affaire que d'y déposer le corps boursouflé d'Osias. En partant de la cabane, Henri avait pensé prendre une pièce de toile sur laquelle ils allongèrent le blessé. Une fois Henri et Tilliam embarqués, il ne restait plus de place pour Mathilde. Celle-ci s'installa un pied de chaque côté du corps d'Osias, les mains à plat sur le franc-bord, supportant son poids avec ses bras.

L'eau rasait le bord du canot. Le temps était heureusement calme. Henri et Tilliam avironnaient sans secousse. Il fallut effectuer six portages pour contourner des chutes et des rapides.

Ils soulevaient le canot, Tilliam à l'avant, Mathilde et Henri à l'arrière. Bien entendu, Osias était toujours couché dedans. Ils gravissaient la côte. Contournaient des rochers. La descente vers la rivière ne s'effectuait pas sans peine non plus. Leurs pieds glissaient sur la mousse. Des plaques de terre luisante surprenaient leurs pas. Ils avançaient dans l'eau avec le canot. Ils y remontaient en retenant leurs mouvements pour ne pas le faire chavirer. Ils arrivèrent en vue de l'île à Bélanger vers midi.

Il y avait du monde sur la berge. Bélanger les avait vus venir et il avait prévenu les autres. Dès qu'il aperçut sa fille dans le canot, il poussa des cris de joie en levant les bras au ciel à la façon des prophètes antiques. Sa barbe blanche chantait. Il avança dans l'eau à la rencontre du canot, prit sa fille aux épaules et la força à sauter à ses côtés. L'embarcation fit un bond qui faillit la renverser.

– Mon Dieu, mon Dieu ! Viens ma petite fille ! Viens que je te console !

En même temps, il avait aperçu Osias.

– Qu'est-ce qu'il lui est arrivé ?

– Le feu a passé proche de venir à bout de lui, répondit Mathilde.

Déjà Juliette était penchée sur le blessé.

– Mon doux Seigneur ! Il est mort ?

Tilliam et l'abbé Tessier, qui s'étaient approchés, emportèrent le malheureux. Resté seul dans le canot dont l'arrière se soulevait, Henri leva les yeux sur Félix Métivier qui l'observait à distance. Ils échangèrent un regard froid puis Métivier suivit le cortège en direction de la maison. Alors seulement Henri descendit à son tour.

Il entra dans la demeure sans que personne ne s'aperçoive de sa présence. Il resta près de la porte, la tête enfoncée dans les épaules, les bras ballants, écrasé soudain de fatigue. On avait allongé Osias sur le lit, et sa mère s'employait à lui retirer ses vêtements avec d'infinies précautions. Le feu avait soudé le tissu aux plaies. Par endroits, Juliette dut découper la chemise et les pantalons avec des ciseaux. Métivier se tenait au chevet du blessé. Il mâchouillait sa moustache.

– Il faut l'emmener à l'hôpital. Aidez-moi, on va le transporter dans mon auto.

– Pas question ! objecta Juliette. Je l'ai retrouvé, je le garde. Vous pensez que je suis pas capable de soigner mon garçon ?

– Ses plaies vont s'infecter, plaida Métivier. Il faudrait lui faire une piqûre !

– Arrangez-vous pour que le docteur vienne la faire ici, lança Juliette.

Puis elle concentra toute son attention sur son fils. Pendant ce temps, au bout de la table, Mathilde mangeait. Son père s'était empressé de lui servir un morceau de porc froid et du pain.

– C'est toi qui l'as sauvé ! T'es courageuse ma fille !

Tilliam et l'abbé Tessier se tenaient un peu à l'écart, témoins de la scène sans rôle à y jouer. Près de la porte, Henri Ramier, encore plus étranger qu'eux en ces lieux. Métivier marcha sur lui. Ses mots sifflaient entre ses dents.

– Votre place n'est pas ici !

– Avez-vous bientôt fini de me chasser ?

– Sortez !

– Je sortirai si vous en faites autant.

Métivier poussa la porte. D'un mouvement de tête, il montra la direction à Ramier. Celui-ci franchit le seuil. Métivier l'imita.

Dehors, Ramier fit quelques pas puis s'arrêta net.

Une rage sourde envahit ses membres. Un feu fouilla son ventre. Il serra les poings. Il se tourna vers Métivier qui le suivait.

— Vous passez votre temps à me dire ce que je dois faire. Moi aussi je veux vous apprendre quelque chose.

Il se dirigea vers le poulailler où il s'empara d'un seau servant à nourrir les volailles. Il revint le mettre entre les mains de Métivier.

— Vous connaissez le rugby ? demanda Ramier.

Métivier regardait le seau sans comprendre.

— C'est un sport vieux comme le monde, poursuivit Ramier. Chez nous, dans le Sud-Ouest, on dit que les bébés le pratiquent dans le ventre de leur mère. Vous voulez essayer ? C'est facile. Vous vous mettez là, moi ici, et j'essaie de vous enlever le ballon.

Métivier n'avait pas bronché avec son seau. Ramier prit position dix pas devant lui, les jambes écartées, le tronc penché en avant, les bras tendus.

— Prêt ?

En même temps qu'il prononçait ce mot, Ramier fonça sur Métivier qu'il renversa d'un violent coup de tête à l'abdomen. Le seau tomba par terre. Ramier s'en empara et s'enfuit en regardant derrière lui. Métivier se relevait en affichant un air de contrariété comme Ramier ne lui en avait jamais vu.

— À vous maintenant, proposa Ramier, il faut venir me prendre le ballon.

Comme Métivier ne semblait pas disposé à se prêter au jeu, Ramier courut de nouveau dans sa direction, le seau sous le bras. Une fois de plus, Métivier ne fit rien pour éviter le choc. Ramier le coucha en lui administrant un croche-pied au passage, après quoi il s'immobilisa dans la position de l'arbitre.

– Tripping ! annonça-t-il. C'est interdit ! On continue !

Métivier fulminait, mais ne réagit pas encore. Ramier lui envoya le seau au visage. Cette fois, Métivier fit un geste pour esquiver le projectile. Le bras devant le visage, il ne vit pas Ramier venir vers lui. Celui-ci se jeta sur le seau dont il se servit pour lui administrer des coups sur la tête et les avant-bras. En même temps il lui décochait des coups de pied dans les tibias, après quoi il s'immobilisa de nouveau comme sous l'effet d'un arrêt de l'arbitre.

– Hacking ! décréta-t-il. La faute préférée des talonneurs ! Et on continue !

Il s'en fut à une dizaine de pieds de Métivier. Il balançait le corps de gauche et de droite comme un trois-quart prêt à tout pour empêcher l'adversaire de passer.

– Vous voulez savoir pourquoi je vous énerve tant ? C'est parce que j'ai une propension au bonheur alors que vous mettez le devoir au-dessus de tout.

Métivier bouillait. Il retroussa lentement les manches de sa chemise pendant que Ramier continuait sa leçon.

– Pour ne pas trop souffrir, vous confondez le plaisir et le bonheur. Mais vous n'êtes pas idiot. Au fond de vous-même, vous savez bien que le plaisir n'est pas le bonheur. Comme vous n'avez ni l'un ni l'autre, vous essayez d'en priver les autres.

Cette fois, Ramier avait touché juste. Métivier fondit sur lui. Le peintre s'enfuit au-delà du poulailler. Métivier le rejoignit. Il tenta de lui arracher le seau. Il avalait sa moustache sous l'effort. Un tic barrait sa joue. Le jeu s'engageait pour de bon.

137

Bientôt, Métivier fut en possession du ballon factice. Pour le lui faire lâcher, Ramier essaya d'arracher la tête de son adversaire. Métivier en perdit ses lunettes qui furent piétinées. Aveugle comme un taureau, Métivier abandonna le seau pour donner des coups au visage de Ramier, mais ce dernier accrocha le ballon par l'anse et dévala vers le pré. Métivier s'élança à sa poursuite. À l'abri d'un pommier, Ramier dissertait encore.

– Il y a du meilleur et du pire dans chaque individu, vous le savez. Mais vous ignorez que la notion de meilleur et de pire n'est pas la même pour tous, et vous essayez d'imposer vos classifications. C'est ainsi que l'on devient dictateur.

Emporté par sa démonstration, Ramier s'esquiva trop tard et Métivier le plaqua de tout son long. Le visage collé sur celui du peintre, l'entrepreneur forestier proféra de sourdes menaces.

– Je vais vous faire ravaler vos paroles, moi !

Et comme si cet objet symbolisait dorénavant le prix de la vérité, Métivier s'empara du seau qu'il pressa sur sa poitrine. Ramier fit effort pour le lui ôter. En vain. En même temps, il lui administrait d'autres éléments de sa réflexion.

– Vous savez quelle est la plus grande injustice ? Imposer sa justice aux autres. Les crimes les plus horribles ont été commis par les justiciers. Lâchez ça !

Ramier tira sur le seau et tomba à la renverse en entraînant l'autre avec lui. Ils déboulèrent la côte. Métivier avait laissé échapper le seau qui dévala devant eux et bondit à la rivière. Le nez dans l'herbe, ils le regardèrent dériver, à moitié lesté d'eau, comme si l'objet de leur dispute se dissipait.

Ils se redressèrent, étonnés de se trouver si près l'un de l'autre, assis sur la berge boueuse de l'île à Bélanger, les cheveux devant les yeux et les vêtements déchirés et tachés d'herbe.

— Maintenant, conclut Ramier en cherchant son souffle, vous connaissez les rudiments du rugby et vous savez le fond de ma pensée.

Il regarda Métivier par en dessous. L'entrepreneur forestier ne bronchait pas d'un cil. Ramier garda son œil rivé sur lui. Lentement les muscles des joues de Métivier se détendirent. Il desserra les lèvres. L'ébauche, puis l'esquisse, et enfin le plein éclat d'un sourire se dessina sur son visage. Il tourna le torse vers son compagnon, inclina légèrement la tête et tendit la main. Ramier sembla hésiter un instant puis s'en empara et la pressa comme un gentleman anglais.

— Vous êtes un homme respectable, dit Métivier, vous savez défendre vos opinions.

— Et moi, répondit Ramier, je vous trouve moins rigide que je ne croyais.

En silence, ils cherchèrent à se dépêtrer de tant de franchise soudaine.

— Qu'est-ce que vous allez faire à présent ? demanda enfin Métivier.

— Parler à Mathilde.

Métivier était déjà debout. Il tendit la main à Ramier pour l'aider à se relever.

— Je veux dire après, insista Métivier.

— J'irai prendre mes bagages au Panier Percé. Je suppose que je n'ai plus rien à y faire.

— Vous avez raison, renchérit Métivier qui s'était mis à marcher vers la maison, le Panier Percé est désert en été. Je vous emmène chez moi à Mékinac.

Ils ralentirent en vue de la demeure. Ramier

s'écarta pour laisser passer Métivier. Celui-ci hocha de la tête.

— Je vais aller vous attendre de l'autre côté près de l'automobile. Vous les saluerez de ma part.

En même temps, il époussettait ses vêtements et cherchait à replacer sa coiffure. Il marcha vers la berge en regardant la maison. Il en vit bientôt ressortir Mathilde et Henri. Les amoureux firent quelques pas avant de s'enlacer. Ils discutèrent un moment puis ils s'étreignirent encore et s'embrassèrent. Leurs mains se séparèrent. Henri se dirigea à son tour vers la berge. Le père Bélanger avait maintenant rejoint sa fille qu'il tenait pressée contre lui.

— Je vous envoie le docteur, lança Métivier tout en actionnant le câble qui reliait l'île à la terre ferme.

Quelques minutes plus tard, la grosse voiture cahotait en direction du Panier Percé. Privé de ses lunettes, Métivier conduisait le nez collé sur le pare-brise.

— Je ne vous ferai pas l'insulte de vous demander comment s'est finie votre histoire avec Mathilde, lança-t-il.

Ramier ne répondit pas. Il s'était endormi.

11.

Henri s'éveilla dans une chambre sombre et fraîche. La brise gonflait le store. Une commode de marqueterie, des lampes aux abat-jour de soie verte, un couvre-lit assorti et du papier peint fleuri. Dans l'angle de la pièce, la porte entrouverte d'un cabinet de toilette.

Il se leva. Ses pieds nus effleuraient le tapis orné d'arabesques. Ses vêtements reposaient sur un fauteuil rembourré. On les avait lavés et repassés. Il marcha vers la fenêtre, leva le store, écarta la tenture. Sa chambre donnait sur une cour où s'ébattaient deux enfants de neuf ou dix ans, un garçon et une fille. Une dame âgée reprisait dans un fauteuil d'osier à l'ombre d'un marronnier. Les cris des enfants donnaient du relief au jour.

Henri s'appuya au radiateur. La vue des enfants des autres lui faisait regretter ceux qu'il n'avait pas. Il parcourut la chambre, les bras maigres, en caleçon, dérisoire sur ses courtes jambes. Un miroir lui renvoya l'image d'un homme déjà rongé par le temps, les cheveux coupés ras et le poil de la poitrine grisonnant.

Il se ficha la pipe entre les dents sans la bourrer. Mordilla le tuyau familier. Revint s'asseoir au pied du

141

lit. Un malaise, la tête qui tourne, l'estomac à l'envers.

Il connaissait une femme qui pouvait le guérir. Son haleine baignerait sa tête, ses mains le laveraient par tout le corps, son rire précipiterait des cascades dans son cœur. Un baiser et tout pourrait recommencer. Mais aussitôt s'élevèrent des cris et des clôtures, des sermons et des serments, l'interdit brandi et la prière comme une arme. Pays maudit, ravagé d'épinettes et de rapides, tordu de feu, mangé de glaise ! Pays de lunettes et de corsets !

Henri retourna par la pensée dans les prés bigarrés, les haies touffues, les rivières paisibles et les collines tendres du Gers. Certains matins, le vent des Pyrénées chantait à l'oreille de celui qui se levait tôt. Les soirs langoureux s'attardaient au pas des portes. Il se vêtit et descendit.

Un escalier de bois foncé à deux paliers débouchait sur un vestibule qui coupait la maison par le milieu. Silence des après-midi d'été. Il sortit derrière.

À sa vue, les enfants suspendirent leur jeu. La femme leva les yeux sur lui sans interrompre le mouvement de ses doigts. Il approcha d'elle. C'était une vieille au langage rocailleux.

– J'suis la gardienne. Ils sont partis. Ils vont revenir tantôt.

Henri promena son désœuvrement dans la cour parmi les parterres de Saint-Joseph et les épinettes bleues. Il déjeûna de fumée de pipe. Les enfants s'arrangeaient pour aller jouer ailleurs quand il marchait en leur direction. Métivier parut vers les cinq heures. Il vint à la rencontre de Ramier en plissant les yeux.

– On a pensé que vous étiez mort ! Ma femme est allée voir. Vous respiriez encore ! Savez-vous que vous avez dormi au moins seize heures ?

Ramier allait formuler des civilités, mais l'autre ne lui en laissa pas le temps.

– J'arrive des Trois-Rivières. Vous savez, les gars qui ont mis le feu, les quatre Anglais, je les ai emmenés au bureau de la *Protective*. On n'a jamais pu prouver que c'est eux autres qui ont fait ça, mais on les a barrés une fois pour toutes de la Mauricie.

Métivier changea brusquement de sujet en regardant les enfants du coin de l'œil.

– Vous avez mangé, j'espère ?

– Pas encore...

– Vous perdez rien pour attendre. Ma femme est partie à une réunion de la Saint-Vincent-de-Paul. Elle devrait pas tarder. Ce soir on a de la visite. Du monde des Trois-Rivières, qui me veulent du bien à ce qu'il paraît. Mais je parle puis je m'occupe pas de vous ! Passez donc à la cuisine prendre une bouchée de pain en attendant.

Il fit un geste de la main pour céder le passage à son invité. Au moment où Ramier pénétrait dans la douce pénombre de la maison, Métivier le prit par le bras pour lui glisser quelques mots à l'oreille.

– Comme de raison, personne est au courant par ici de vos erreurs de jeunesse avec la fille au bonhomme Bélanger. Pas nécessaire d'insister là-dessus, je pense. Si on vous en parle, dites que vous êtes allé dans le bois pour faire de la peinture. Me semble même qu'il y en a un de ceux qui vont être là ce soir qui a déjà fait du dessin.

Deux heures plus tard, ils étaient six autour de la

table de la salle à manger. Nappe blanche et bouteilles de vin. Métivier officiait. Il était le seul à ne pas boire, mais il remplissait le verre de ses invités avec empressement.

La jeune madame Métivier faisait le service. Elle trottait sur ses petits pieds entre sa place à table et la cuisine, des plats de carottes et de pommes de terre en purée dans les mains. Elle présenta deux beaux dorés de trois livres chacun, farcis à la mie de pain et au lait chaud.

Ramier observait cette jeune personne transformée par la volonté de son mari en austère maîtresse de maison. Elle pouvait avoir quinze ans de moins que Métivier, mais son chignon, ses lunettes et son tablier lui conféraient la dignité d'une matrone.

Ils passèrent au salon adjacent. Café et liqueurs, cuirs et boiseries. Le vin leur avait délié la langue. Les cigares achevèrent de la leur aiguiser.

Il y avait là deux hommes d'âge moyen et un plus vieux. Les premiers faisaient office de notables. C'étaient un dentiste, Lucien Boisclair, et un notaire, Arthur Gélinas. Le plus âgé, Jean-Paul Chèvrefils, parlait pour les deux autres. Il était vrai que sa profession de journaliste l'avait préparé à cette fonction.

Métivier écoutait, la tête penchée, un sourire malicieux sous la moustache. Ramier suivait la conversation comme si elle l'eût intéressé au premier titre. La jeune madame Métivier s'était réfugiée à la cuisine.

– Moi j'ai pour mon dire, commença Chèvrefils, on a les gouvernements qu'on mérite, ça fait qu'on vaut pas cher comme c'est là.

Ses grandes mains maigres ponctuaient ses idées dans l'air, le cigare démesuré entre ses doigts fins. Il finissait ses phrases dans un petit rire étouffé. Il enchaîna.

– Prenez la loi du Cadenas. Duplessis l'a fait adopter pour fermer la trappe à tous ceux qui pensent pas comme lui. Ben, je m'excuse, je peux peut-être pas écrire tout ce que je veux dans le journal, mais il y a personne qui va m'empêcher de dire le fond de ma pensée dans le particulier.

– Minute là, objecta Métivier dans un bon rire, vous allez toujours bien pas me dire qu'on est en train de tenir une assemblée séditieuse ici-dedans ! Il y a personne de nous autres qui est communiste, je pense ?

Les regards se tournèrent vers Ramier, l'étranger spontanément soupçonné de déviance. Celui-ci ouvrit les paumes de ses mains pour montrer patte blanche.

– Il est correct, intervint Métivier, j'ai pris mes précautions.

Ils rirent tous les trois. Ramier les imita pour ne pas leur déplaire.

– Je dis pas, continua Chèvrefils, il y a du bon dans cet homme-là, mais c'est comme s'il était le diable puis le bon Dieu en même temps.

– On parle pour parler, se permit d'intervenir Gélinas, c'est vrai que Taschereau il avait fait son temps. Même nous autres, les vieux Libéraux, on commençait à trouver qu'il n'avait plus le contrôle. C'était pas une raison pour saper Godbout dehors ! On avait un maudit bon programme à part ça ! Mais lui, il est arrivé avec ses niaiseries : «Les Libéraux ont pris les intérêts de la Province. Moi je les prends pas, je les laisse à l'Assemblée !» Ça prend-tu un insignifiant pour se faire élire avec des niaiseries de même !

Ramier commençait à comprendre que la conversation portait sur la personne du Premier ministre Maurice Duplessis. Il l'avait déjà rencontré en compagnie de Métivier. Il s'était étonné qu'un individu aussi rustre, du moins en apparence, ait pu accéder au plus haut poste de commande. Il en avait déduit que l'homme était malicieux et rusé. La présente conversation le confortait dans cette opinion.

– Vous avez vu ce qu'il a fait avec l'Action libérale nationale de Gouin? poursuivit Chèvrefils. Il s'est fait élire avec leur appui puis il les a jetés dehors!

– Moi ce qui me fait le plus de peine, glissa le dentiste Boisclair, c'est qu'il y avait de bonnes choses dans le programme des Jeunes-Canada.

– Il y *avait*, renchérit Chèvrefils en soulignant le verbe, souviens-toi ce qu'a dit l'abbé Groulx. « On va être obligé de faire notre deuil de la grande politique nationale qu'on avait rêvée. »

– Ben moi, j'ai pas envie de faire mon deuil, déclara le dentiste en posant son verre sur la table basse. Il se leva. Il avait agi sous le coup de l'impulsion. Il se rassit.

– C'est comme pour les trusts de l'électricité, dit encore Chèvrefils, Duplessis a jeté le gouvernement Taschereau à terre en disant qu'il était acoquiné avec les trusts puis, à peine élu, il revient sur sa promesse. On est pas prêt de voir ça, un grand trust gouvernemental de l'électricité, dans la province de Québec!

– Je sais pas si ce serait une bonne chose, se permit d'objecter Métivier, moi j'ai pour mon dire que le gouvernement gouverne puis que les compagnies fassent de l'argent! C'est comme ça que ça marche!

– Je dis pas, admit Chèvrefils qui ne voulait pas venir en conflit avec leur hôte, mais il y a toujours des maudites limites ! Ils rient de nous autres dans les journaux jusqu'en Angleterre ! Ils disent qu'on a un gouvernement fasciste ! Un autre Mussolini !

– Ça va prendre un sapré bon homme pour arrêter Duplessis, reconnut Métivier. Il est parti pour la gloire.

– Justement, lança Chèvrefils, il va falloir qu'on commence à penser à se trouver un candidat. Ça l'air que ça parle d'élections à Québec.

– Il lui reste un an et demi, peut-être un peu plus, fit remarquer Métivier.

– *Pantoute !* insista Chèvrefils, ça l'air qu'il veut aller en élection cet automne !

– Qu'est-ce que ça lui donnerait ? demanda Métivier.

– Ça parle de guerre puis d'armement à Ottawa, expliqua le journaliste. Comme de raison, nous autres, dans la province de Québec, on est contre la conscription comme la dernière fois. Duplessis, lui, il veut un mandat fort parce qu'il pense que les fédéraux, ils vont revenir sur leur promesse, puis ils vont imposer la conscription. Si ça continue à bardasser de même en Europe, ce sera pas long que Hitler, il va se jeter sur ses voisins, puis l'Angleterre va crier au secours ! Qui c'est qui va aller l'aider ? Encore le Canada ! Il voit venir ça, Duplessis ! S'il fait réélire son gouvernement avec des thèmes électoraux anticonscription, on est pas près de le débarquer ! C'est pour ça qu'il nous faut un bon candidat !

– Ça court pas les rues, fit observer Métivier.

– Il y en aurait un... finassa Chèvrefils.

– Il a ce qu'il faut ? s'enquit Métivier.

– Toutes les qualités, énonça Chèvrefils, honnête, franc, travailleur, respecté, peur de personne, à l'aise à part ça. Un seul défaut : je sais pas s'il va accepter.

– Lui en avez-vous parlé ? demanda Métivier.

– C'est ce qu'on est en train de faire, lâcha le journaliste.

Un silence d'église s'abattit sur le salon. Les notables se regardaient entre eux, fiers de leur coup comme des collégiens. Ramier écrasa son cigare dans le cendrier. Métivier demeura impassible comme s'il n'avait pas entendu. Il toussota avant de répondre.

– C'est un pensez-y-bien ! On s'embarque pas de même !

Chèvrefils était déjà debout.

– Comme ça c'est pas non ?

Métivier lissait ses cheveux avec sa main.

– Vous savez qu'ils lui préparent un grand banquet, à notre Maurice national, dans deux jours. Je sais pas trop pourquoi, ils m'ont demandé de faire un laïus. Peut-être parce que je me suis jamais mêlé de politique. J'ai dit oui. Je vous donnerai ma réponse ce soir-là.

– Attaboy ! s'exclama Chèvrefils.

Les deux autres entouraient Métivier.

– On va lui fourrer une maudite volée ! s'écria le dentiste Boisclair qui contenait à grand peine des bouffées d'enthousiasme. Dans quatre ans, personne se rappellera même plus du nom de Maurice Duplessis.

Ce soir là, en remontant à sa chambre, Henri eut un entretien à voix basse avec Métivier, sur le palier de l'étage.

– Vous y pensez sérieusement ? s'enquit le peintre.

– Je vais vous dire franchement, répondit Métivier, j'aimerais mieux pas, mais il me semble que j'ai pas le choix.

– Toujours votre sens du devoir...

– Toujours, opina Métivier. J'ai été élevé de même.

– Et cela vous coûte ?

– Plus que vous ne croyez.

Ils restèrent un moment sans rien dire. L'horloge du vestibule tricotait le temps à sa façon.

– Je vais rentrer en France d'ici peu, reprit Ramier. Je voulais vous dire...

Métivier lui mit la main sur l'avant-bras pour l'arrêter.

– Gardez ça pour dans deux jours. Je vais vous demander de dire deux mots au banquet à Duplessis. Les adieux d'un Français à la province de Québec, ça va faire une grosse impression.

Deux jours plus tard, à bord de la Packard de Métivier, Henri prenait part au grand défilé en l'honneur du Premier ministre Duplessis. Une Fête-Dieu plus solennelle encore que la cérémonie religieuse. Les rues des Trois-Rivières pavoisées comme à la Noël et à la Saint-Jean réunies. Des arches de verdure et des banderoles. Des placards à l'effigie du Premier ministre. Une mer de monde pour saluer le sauveur de la race canadienne-française. Le cortège de voitures s'étendit sur trois milles de distance, près de cinq kilomètres selon Ramier qui évalua à huit cents le nombre de véhicules engagés, l'un à la suite de l'autre, dans les rues de la ville. En proportion, quelques semaines plus tôt, la visite du roi n'avait pas eu plus d'éclat.

La foule débordait le service de sécurité. Des dizaines de mains se tendaient pour toucher la voiture de Duplessis. Les plus acharnés parvenaient à serrer la pince à leur Premier ministre. Des mères élevaient leur enfant à bout de bras comme pour une bénédiction. Duplessis posait la main sur la tête de ceux qui se trouvaient à sa portée.

Des fanfares éclataient aux intersections. Dès que le vacarme des cuivres s'était estompé, on entendait de vigoureux « Hourra pour Maurice ! » qui se répercutaient dans les rangs. Ce cri de ralliement avait d'ailleurs gagné même les églises où les plus ardents partisans de Duplessis remplaçaient les *Ora pro nobis* par des « Hourra pour Maurice » susurrés avec ferveur.

Une pagaille mémorable marqua l'arrivée en vue du Séminaire. Seuls les invités d'honneur disposaient d'un carton marqué OFFICIEL placé dans le pare-brise et qui les autorisait à pénétrer dans la cour. Métivier était du nombre. Les centaines d'autres en furent réduits à garer leur voiture en bordure des rues avoisinantes.

Huit cents convives, dûment identifiés et numérotés, avaient retenu leur place. Des enfilades de tables, des bancs sommaires faits de madriers, la vaisselle et les couverts des pensionnaires réquisitionnés. De place en place des bouquets de fleurs, et sur chacune des tables un carton montrant le visage confiant de Duplessis et les trois mots RELIGION – FAMILLE – AGRICULTURE imprimés en bleu et soulignés de traits horizontaux destinés à marquer la célérité avec laquelle ces principes fondamentaux devaient pénétrer l'esprit des Canadiens français dignes de ce nom. Le brouhaha dura pendant près d'une heure.

Les invités d'honneur, parmi lesquels on comptait les orateurs, mangeraient sur une estrade d'où la foule pourrait les apercevoir. Ramier se retrouva entre un chanoine et un gros homme à bedaine. Plus loin, Métivier conversait avec ses voisins. Duplessis trônait au centre de la table, son complet bleu à double rangée de boutons rigoureusement tendu, le cheveu bien coiffé et la moustache fine, une cigarette entre les doigts d'une main, un verre d'alcool dans l'autre.

Au moment où l'on allait commencer le service, Duplessis se leva pour convier l'évêque des Trois-Rivières à réciter le *Benedicite*. Sitôt que le prélat eût accompli cette formalité, le Premier ministre se jeta à ses genoux et baisa son anneau épiscopal. En même temps, il le gratifia d'une formule à sa façon, après s'être assuré qu'un microphone captait ses propos pour les amplifier dans la cour.

– Éminence, je reconnais dans cet anneau le symbole de l'union de l'autorité religieuse et de l'autorité civile.

Le banquet pouvait débuter. Henri Ramier ne se rappellerait pas la suite jusqu'au moment de prendre la parole. Il avalait ses morceaux de poulet de travers. Même chez Picasso il n'avait pas été aussi intimidé. Il s'entendit nommer par le présentateur. Il se leva, plus petit que jamais, marcha vers le microphone qu'il fallut ajuster à sa taille, et plongea tête baissée dans la mer d'yeux qui le dévoraient.

– Monsieur le Premier ministre, chers cousins canadiens-français...

Première faute, il n'avait pas signalé la présence de l'évêque. Ce ne serait pas la dernière.

– Je ne représente ici rien d'autre que mon humble personne, et la maladresse des propos que j'entends vous tenir ne saurait être imputée qu'à mon inexpérience. Je fréquente bien peu, je l'avoue, les cérémonies officielles, et je ne sais parler qu'avec mon cœur. Pardonnez à l'avance ses débordements.

Il chercha dans la foule un regard complice, le trouva aux premiers rangs et s'y attacha.

– Je consacre ma vie à la peinture et, à ce titre, j'ouvre les yeux plus grand qu'un autre. Depuis deux mois que je parcours votre pays, j'ai l'impression de me retrouver dans la France du dix-neuvième siècle. Je ne dis pas cela pour signifier que votre évolution puisse être attardée d'aucune façon, mais j'y vois plutôt le signe d'un attachement profond à ce que nous étions, Français et premiers Canadiens, quand nous avons bâti ensemble ce pays. Continuez de porter bien haut le flambeau de vos origines ! La France prolonge en vous son espérance ! Mais de grâce, et vous me permettrez cette remarque amicale, laissez leur langue et leurs coutumes aux Anglais. Trop souvent hélas, au cours de mes pérégrinations, me suis-je trouvé dans la situation de ne rien entendre aux propos de mes interlocuteurs. Ils parlaient un français mâtiné d'anglais que seuls des initiés pouvaient déchiffrer.

Il se tourna vers Duplessis qui fronçait les sourcils.

– Vous célébrez ce soir les mérites d'un Premier ministre qui incarne les vertus de fidélité et de continuité. La France, dont je ne suis pas le représentant mais bien le fier sujet, et que je vais retrouver dans quelques jours comme une mère, n'en attend pas moins de vous.

Il regagna sa place. La moitié des convives l'applaudirent, les autres échangèrent avec leurs voisins de table des observations pressantes sur la pertinence des propos de ce Français qui venait leur faire la leçon en parlant trop bien.

Ramier ignora les envolées des orateurs qui suivirent jusqu'à ce que Félix Métivier se dresse à son tour. Des applaudissements nourris marquèrent son apparition devant le microphone. On saluait son aisance et sa prestance. Inspiré par la hardiesse du Français, l'entrepreneur forestier prit la cognée à pleines mains.

— Vous me connaissez, j'ai pas l'habitude d'y aller par quatre chemins. L'homme qu'on fête aujourd'hui s'est fait connaître lui aussi pour son franc-parler, du moins c'est ce que je me souviens de lui quand il était dans l'opposition. C'était dans le temps de la crise, vous vous en rappelez ? Le secours direct, pas besoin d'en dire plus long, plusieurs d'entre vous y ont laissé des plumes. Dans ce temps-là, Maurice Duplessis dénonçait ce qui nous avait menés à la crise, l'imprévoyance du gouvernement, l'industrialisation à outrance, l'exploitation de nos ressources en faveur des étrangers. Puis il proposait des solutions au nom du parti Conservateur, c'était avant la création de l'Union Nationale, vous savez ce que je veux dire, la politique agricole, la colonisation, le retour à la terre. J'ai pas toujours été d'accord avec ça, je ne le suis pas encore aujourd'hui, parce que je pense pas que c'est en envoyant les ouvriers des villes défricher des terres de roches qu'on va sortir de notre misère. C'est en relevant la tête puis en regardant l'avenir en face plutôt que le bout de nos souliers !

Il s'arrêta pour replacer ses lunettes.

— Aujourd'hui Duplessis est au pouvoir et il y a une autre crise qui gronde à l'horizon. Je sais pas comment ça va finir, mais j'ai bien peur que le feu prenne en Europe comme quand un campeur négligent éteint mal son feu de camp, puis c'est pas les accords de Munich qui vont me rassurer, parce que quand je vois la France puis l'Angleterre, avec l'Italie comme de raison, donner le droit à l'Allemagne de dépecer son voisin pour satisfaire son ambition, je me dis qu'on est pas au bout de nos peines. Puis venez pas me dire que ça nous concerne pas ! Quand le feu prend dans la forêt, c'est toutes les compagnies qui se mettent ensemble pour l'éteindre !

À son tour il se tourna vers le Premier ministre. Duplessis gardait une attitude imperturbable. Il devait préparer sa réplique. Métivier le connaissait assez pour le savoir. Il sauta vite aux conclusions.

— De grâce, Monsieur le Premier ministre, si la guerre éclate, ce que je souhaite pas, rappelez-vous que les Canadiens français ont trimé assez dur pour avoir le droit de vivre en paix. Ils ont bien mérité d'avoir un gouvernement qui prend véritablement leur défense plutôt que de profiter des circonstances pour se faire du capital politique.

Métivier avait prédit juste. Après avoir salué tout ce qui portait un titre dans l'assemblée, depuis l'évêque jusqu'aux marguillers, en passant par le maire et ses conseillers, Duplessis s'en prit au gouvernement fédéral.

— Depuis plusieurs années, une campagne a été conduite en vue d'amoindrir considérablement et même d'anéantir l'autonomie provinciale. Invoquant le prétexte de la guerre qui pourrait éclater, le gouvernement fédéral intensifie sa campagne d'assimilation et de centralisation. La loyauté du Québec ne peut être mise en doute, car l'histoire l'enregistre dans des termes élogieux et justes, mais Québec considère que le premier élément d'une saine loyauté, c'est d'abord d'être loyal envers soi-même.

Duplessis laissa monter la vague d'applaudissements et de rugissements qui accueillit ces paroles, puis il haussa le ton pour chauffer à blanc un auditoire déjà embrasé.

– Le pacte confédératif nous a assuré certains privilèges, mais depuis quelque temps le pouvoir central essaie de pratiquer l'assimilation, la fusion et la confusion. Je dis que jamais, au grand jamais, tant que je serai Premier ministre de cette Province et que les électeurs me renouvelleront leur confiance, je ne laisserai assimiler la province de Québec. La coopération toujours, l'assimilation jamais !

Encore une fois Maurice Duplessis se fit un manteau de gloire avec la laine du dos de ses adversaires. La nuit retentit longtemps des « L'assimilation jamais ! » répétés en écho par les supporteurs enfiévrés d'un Premier ministre plus doué pour les formules percutantes que pour les visions politiques.

L'abbé Tessier avait pris part au banquet. Il voyait en Duplessis le puissant protecteur du patrimoine dont il entendait exploiter les trésors. La cérémonie terminée, pendant que le Premier ministre quittait avec les autorités ecclésiastiques et municipales, l'abbé fonça vers la tribune. Il aborda Ramier. Celui-ci accordait un entretien à un jeune journaliste du *Nouvelliste*. Tessier les interrompit sans gêne.

– T'oublieras pas, Charles, d'écrire que Monsieur Ramier est un des plus grands peintres français contemporains !

– Dites plutôt, rectifia Ramier, que je suis un grand admirateur de votre Mauricie.

Dès qu'ils furent seuls, Tessier saisit Ramier aux avant-bras comme il l'avait fait une première fois, quelques semaines plus tôt, à l'issue de la conférence que le peintre avait donnée devant les membres de la société historique Le Flambeau.

– Batêche ! j'aime ça comment vous leur parlez ! Vous leur avez brassé le Canayen en pas pour rire ! Il en faudrait plus des gens comme vous dans ce pays !

– Malheureusement, déplora Ramier, je pars dans quelques jours.

– Où c'est que vous allez ?

– En France...

– Je veux dire ce soir ?

– Je reste aux Trois-Rivières. Il doit bien y avoir encore une chambre d'hôtel qui soit libre.

– Pas question, objecta l'abbé, je vous emmène au Séminaire. D'où c'est qu'il part votre bateau pour la France ?

– Québec.

– Quand ce sera le temps j'irai vous mener. Comme ça je vais profiter de vous jusqu'à la dernière minute.

De leur côté les trois conspirateurs libéraux s'étaient glissés jusqu'à la tribune pour attraper Métivier avant son départ. Celui-ci conversait toujours avec quelques convives. Le journaliste Chèvrefils se tenait un peu à l'écart. Il fit un petit signe de la main à Métivier, et l'entrepreneur forestier tira parti de ce prétexte pour se défaire de ceux qui l'entouraient.

156

– Après ce que je viens d'entendre, s'exclama Chèvrefils, pas besoin de vous demander si vous avez pris votre décision.

– T'as tout compris mon Jean-Paul! Je suis votre homme! Mais j'aimerais autant que ça se sache pas trop vite. Donnez-moi quelques jours pour préparer le terrain.

– On peut en parler aux organisateurs?

– Comme de raison. Je veux juste que ça sorte pas dans le journal trop vite.

Le journaliste du *Nouvelliste* approchait justement avec Ramier et l'abbé Tessier. Il aborda Métivier.

– Je savais pas que vous étiez un admirateur de Duplessis.

– À ce que je sache, il est toujours le Premier ministre de la province! répliqua Métivier.

Le journaliste accusa le coup et se tourna vers les trois libéraux notoires qui l'entouraient. Il interpella plus directement son confrère Chèvrefils.

– Vous autres, en tout cas, on peut pas dire que vous êtes des ardents partisans de l'Union Nationale! Ça se parle dans la salle de rédaction, hein! mon Jean-Paul!

– On est venu entendre le Premier ministre comme tout le monde, plaida le notaire Gélinas.

Le journaliste referma son calepin.

– Entre nous autres puis la boîte à bois, déclara-t-il d'un ton de conspirateur, vous êtes pas près de le trouver le candidat qui va faire mordre la poussière à Duplessis!

Quelques minutes plus tard, Ramier, l'abbé Tessier et Métivier se retrouvaient penchés au-dessus du coffre de la Packard, d'où ils tiraient les bagages du peintre. La foule commençait à se dissiper dans la cour. Les lumières du terrain de base-ball crevaient le crépuscule. Ramier posa son sac de voyage par terre. Il se redressa et regarda Métivier dans les yeux.

— Je ne sais comment vous remercier, commença-t-il.

— J'ai fait ce que j'ai pu... protesta Métivier.

— Jamais, de toute ma vie, je n'oublierai ce séjour en Mauricie.

— Vous leur direz, aux Français, qu'on est du monde bien avenant !

Les adieux les embarrassaient tous deux. Ils se serrèrent la main et partirent chacun de son côté sans se retourner.

12.

L'orage éclata en fin de soirée. Les coups de tonnerre ébranlaient les vitres des maisons. Les toits des Trois-Rivières résonnaient. Les promeneurs attardés se réfugièrent sous les marquises des magasins. Les adeptes de l'Union Nationale rentrèrent chez eux avec leurs hourras. Les pneus des voitures chuintaient sur l'asphalte mouillé.

En Moyenne-Mauricie, les villages faisaient le gros dos sur leurs collines. Les éclairs zébraient la campagne. On voyait les champs nets comme des tapis après la première coupe de foin, les bêtes surprises dans leur hébétude sous le couvert des arbres, les pales des moulins à vent tournant à plein régime aux abords des granges.

La pluie tombait en grosses gouttes plates sur les feuilles des bardanes. L'eau courait en ruisseaux ravageurs dans les sous-bois secs, creusant des sillons dans l'humus.

Dans la section de la forêt où le feu s'acharnait depuis trois jours, les combattants se réjouissaient de le voir s'essoufler à ranimer sa flamme au sommet des sapins mouillés. Pour peu que la pluie tienne, cet incendie ne serait bientôt plus qu'un souvenir.

Dans la demeure de la famille Bélanger, à la lueur

de la lampe à l'huile, Mathilde et sa mère se penchaient sur le corps torturé d'Osias. Elles venaient de changer ses draps de lit comme elles le faisaient deux fois par jour. Ce n'était pas une mince tâche. Il fallait soulever Osias. Il se plaignait. Chaque mouvement lui causait des souffrances. Pour l'apaiser, sa mère lui parlait comme à un enfant.

– Ce sera pas long, tu vas voir, tu vas être beaucoup mieux après. On va te mettre des beaux draps propres puis tu vas te reposer comme un ange.

Mais la sollicitude de la mère et de la sœur ne parvenait pas à chasser l'odeur de putréfaction que dégageaient les plaies d'Osias. Le malheureux pourrissait vivant. Le docteur lui avait pourtant administré les injections appropriées.

– On ne peut pas grand chose pour lui, avait-il déclaré. Même à l'hôpital ils ne le soigneraient pas mieux que vous le faites. Il est entre les mains du bon Dieu.

Juliette et Mathilde se cachaient la vérité. Elles ne voulaient pas admettre qu'Osias se consumait littéralement sous leurs yeux. Une seule certitude, il souffrait comme un damné. Mathilde répétait la même rengaine depuis qu'elle avait ramené son frère dans cet état.

– C'est de ma faute. C'est à cause de moi que c'est arrivé. Je me le pardonnerai jamais.

Sa mère l'entraîna vers la table. Elle lui servit un bol de lait chaud.

– Bois ça, ça va te faire du bien. Toi aussi t'as besoin de te reposer.

Elles jetèrent toutes deux un coup d'œil à la dérobée du côté du grand lit au chevet duquel le patriarche était agenouillé. Celui-là guérissait les plaies de son fils avec le baume des prières. La mère mit la main sur celle de sa fille et la tint enfermée comme une bête craintive.

– Je ne veux plus que tu dises ça, que c'est de ta faute ! Osias, il aurait aussi bien pu être brûlé en se battant contre le feu avec les autres. C'est un accident. Une épreuve que le bon Dieu nous envoie pour mesurer notre foi. Puis à part ça, si tu veux te faire des reproches, demande pardon pour les péchés que t'as commis avec cet étranger.

Mathilde se rebiffa.

– J'ai pas fait de péché ! On s'est aimé !

– Ton plus grand péché, ma fille, c'est de ne pas admettre celui que tu as commis.

– Il faudrait peut-être que je m'accuse aussi d'être venue au monde avec le désir dans mon ventre ? C'est ça que tu veux, que je renie la vie parce qu'elle est trop forte ? Faudrait peut-être couper aussi tous les arbres de la forêt de la même hauteur ? Empêcher l'eau de couler ? Tu sais, elle déborde parfois au printemps. Je sais pas qui la confesse, l'eau, quand elle déborde. Peut-être qu'elle se sent coupable ? Moi pas, en tout cas !

Elle avait parlé à voix basse mais avec fermeté. Elle dégagea sa main. Sa mère pinça les lèvres.

– Qu'est-ce tu penses qui va arriver à présent ?

– Il a promis qu'il reviendrait, dit Mathilde pour la dixième fois. Je l'attends.

À la même heure, Henri ne pouvait dormir. Il se leva et marcha dans sa chambre du Séminaire des Trois-Rivières. Le parquet craquait. Un évêque austère à la face émaciée l'observait derrière la vitre de

161

son cadre, au mur. Henri s'approcha de la fenêtre. Il regarda la pluie tomber sur la rue Saint-François-Xavier, ses grands ormes solennels et la quiétude des demeures bourgeoises, dont une avec une tour d'angle où se voyait la lueur d'une lampe à la fenêtre du rez-de-chaussée. Pluie et lumière. Henri enfila ses pantoufles et sa robe de chambre pour aller frapper à la porte de l'abbé Tessier. Malgré l'heure tardive, celui-ci l'accueillit avec des débordements de joie.

— Rentrez donc, on va jaser.

Henri trouva un fauteuil libre. Il n'y en avait qu'un. Il s'y installa. L'abbé resterait debout à son habitude. Il était en pyjama, ce qui ne l'empêcha pas de prendre un cigare dans la poche de sa soutane, sur un autre fauteuil, et de l'allumer avec une évidente satisfaction.

— Batêche que c'est bon ! Un vrai péché ! Comme ça vous êtes content ?

Henri ne parlait pas. L'abbé n'y prêta d'abord pas attention. Il répondit lui-même à la question qu'il avait formulée.

— C'est beau, hein, la Mauricie ! Le bois, les montagnes, les rivières. On dirait que le bon Dieu a ramassé tout ce qu'il y avait de mieux puis qu'il l'a mis ensemble, à la même place, pour se faire plaisir.

Puis, après une pause pour tirer une bouffée de son cigare :

— J'ai vu le Rhône, vous savez ? C'est pas rien non plus. Seulement, tout est plus petit. Comme une maquette de la grande œuvre. Vous ne trouvez pas ?

Henri secoua la tête. Le Rhône lui importait peu. L'abbé s'enflammait.

— C'est là que j'ai pris ma vocation. En lisant Mistral, puis tout le Félibrige. Je me suis dit : «Faut que tu fasses la même chose chez vous ! Il y a personne pour chanter le Saint-Maurice ! Le bon Dieu t'a donné des yeux, une caméra puis du cœur ! Chante ! » Je fais pas ça pour la gloire, vous savez ! Je prends ça comme un devoir de célébrer les beautés de la Mauricie !

Henri fronça les sourcils. Malgré toute l'affection qu'il vouait à l'abbé, ses appels du devoir le laissaient indifférent. Il fit la moue. L'abbé s'en aperçut enfin.

– Il y a quelque chose qui va pas ?

Henri fit signe que oui de la tête.

– Vous voulez m'en parler ?

– C'est cette fille, commença Henri, la fille du père Bélanger...

– Vous voulez vous confesser ? demanda brusquement l'abbé.

– Pardonnez-moi, répondit Henri, mais je n'ai pas l'habitude de régler mes problèmes de cette façon. Ça ne vous ennuie pas que je vous en parle simplement ?

L'abbé montra son pyjama en tapant des mains sur sa poitrine. La cendre de son cigare tomba par terre.

– Vous voyez, je suis en pyjama. C'est rien que les amis qu'on reçoit en pyjama. Vous pouvez me parler en ami. Puis en même temps, en-dessous, il y a un cœur de prêtre. Ça paraît pas, mais il est là. Inquiétez-vous pas, c'est pas dangereux un cœur de prêtre.

Il alla dans la chambre adjacente à son bureau chercher une chaise droite qu'il vint placer devant le fauteuil d'Henri. Il s'y installa. Leurs genoux se touchaient presque. Dehors, l'orage avait repris de la force.

163

– Donc, Mathilde Bélanger... commença l'abbé pour mettre l'autre en train.

– Je l'aime.

– C'est pas défendu.

– Je veux l'épouser.

– Ça c'est peut-être un peu plus compliqué.

– Je me fais des reproches. J'ai deux fois son âge !

L'abbé se releva. Il n'avait pas tenu une minute sur sa chaise. Il marcha de long en large dans le bureau.

– Pensez-vous que le Christ s'est demandé quel âge avait Marie-Madeleine avant de lui pardonner ?

– Mais si nous avons des enfants ?

– Vous serez père et grand-père en même temps !

– Et je suis Français !

– Elle aussi, que je sache ! Ses ancêtres venaient du même pays que vous !

Henri s'arrêta, à bout d'arguments.

– Donc vous ne voyez rien de mal à ce que Mathilde et moi... finit-il par dire.

– Vous êtes veuf, elle est pas mariée, il y a rien qui s'oppose. Si vous étiez Catholique pratiquant, je vous dirais de vous confesser pour vous faire pardonner d'avoir été trop vite en affaires. À part ça, je vois pas d'objection.

– Ce ne sera sûrement pas l'avis de ses parents.

– Ça, c'est une autre paire de manches, admit l'abbé.

– J'ai l'intention d'aller les rencontrer.

– Je vais y aller avec vous ! annonça l'abbé. On sera pas trop de deux pour en venir à bout !

Le lendemain, en fin de matinée, Henri mit une fois de plus le pied sur l'île à Bélanger. La pluie de la nuit avait lavé la terre. Le soleil chauffait doucement

164

la nature. La demeure, avec ses volets et son liséré rouges, chantonnait dans le paysage. L'abbé Tessier fit un clin d'œil à Henri avant de pousser la porte de chêne.

– À la grâce de Dieu ! prononça-t-il.

Le chien jaune les accueillit comme de vieilles connaissances. Mathilde faillit laisser échapper le bol qu'elle tenait à la main. Sa mère était encore penchée sur Osias. Elle se redressa en mettant les mains sur les reins. Et le bonhomme Bélanger, en chapeau et en bottes, courbait les épaules, les coudes sur le bois de la table. Tout aussi bien l'image du bonheur que celle du malheur contenu.

Mais les arrivants ne pouvaient ignorer l'odeur éprouvante qui emplissait la pièce. Ils jetèrent tour à tour des regards furtifs en direction de la couche où Osias se décomposait. S'ils s'y attardaient, ils ne pourraient donner suite à leur mission. L'abbé le savait. Il se força à la gaîté.

– Salut la compagnie ! lança-t-il. J'amène de la visite.

Bélanger se leva et vint à leur rencontre, grand comme une armoire et lourd de tous ses secrets.

– J'aimerais mieux que le loup entre pas dans la bergerie, dit-il. Ils nous mettent en garde contre ça dans l'Évangile.

– C'est écrit aussi : « Ce que vous faites au plus petit d'entre les miens, c'est à moi que vous le faites. » Tu connais ton Évangile aussi bien que moi, Étienne. Peut-être même un peu plus.

Le bonhomme ne broncha pas, enfermé dans son auréole de barbe, les deux grandes mains ouvertes le long du corps, cherchant désespérément du coin de l'œil l'appui de sa femme. C'est Mathilde qui s'avança.

— Bonjour, dit-elle à l'intention d'Henri.

Comme s'il avait attendu cet instant pour mettre en application un plan préparé d'avance, l'abbé poussa Mathilde en direction de la porte où se trouvait déjà Henri.

— Allez donc jaser dehors une minute tous les deux. Je voudrais m'entretenir dans le particulier avec Monsieur et Madame Bélanger.

Mathilde sortit sans hésiter. Henri la suivit. L'abbé referma la porte derrière eux.

— Vous savez aussi bien que moi ce qui m'amène, dit-il en prenant place sur le banc de la table. Si vous voulez, on farfinera pas avec ça. Tout ce qui traîne se salit.

Il fit signe au bonhomme Bélanger de se joindre à lui devant la table, mais le géant ne broncha pas.

— J'aime mieux rester debout pour entendre ce que vous allez me dire.

L'abbé Tessier en fut quitte pour se relever afin d'affronter son paroissien d'égal à égal, façon de parler d'ailleurs, car le bonhomme le dépassait de la tête et des épaules. L'abbé n'en fit pas moins preuve d'autorité.

— Il s'est passé des drôles de choses par ici depuis quelque temps, des vertes puis des pas mûres, mais on pleure pas sur le lait renversé. Il y a rien qu'une manière de raccomoder les pots cassés, puis vous la connaissez aussi bien que moi. Quand un gars puis une fille commencent à sauter la clôture, faut pas attendre que le fruit tombe de l'arbre. Donnez votre fille à Monsieur Ramier puis on n'en parle plus.

Une bombe n'aurait pas fait plus d'effet. Juliette Bélanger enfouit ses mains dans son tablier et son mari durcit les poings.

166

– Sauf le respect que je vous dois, Monsieur l'abbé, jamais !

– Pourquoi ? insista Tessier, qu'est-ce qui fait pas votre affaire là-dedans ?

– Vous me le demandez ? tonna Bélanger. Cet homme-là a pris ma fille comme un voleur.

– Si je vous disais que c'est le contraire qui s'est passé.

– Je vous croirais pas.

– Et moi je vous l'affirme. Je dis pas qu'il est blanc comme l'agneau, mais votre fille est pas claire, claire non plus. D'ailleurs, celui qui tient le sac est aussi coupable que le voleur. Mais c'est pas la question. On est pas ici pour chercher des coupables, on est ici pour trouver des solutions. Vous la donnez, votre fille, à Monsieur Ramier, oui ou non ?

Le bonhomme gémissait.

– Je peux pas... je peux pas...

Il avait ôté son chapeau. Il le torturait entre ses mains. Il se jeta à genoux. Il se frappait la poitrine, tenant toujours son chapeau à la main.

– C'est de ma faute ! Je l'ai pas assez surveillée ! *Mea culpa, mea culpa, mea maxima culpa...*

L'abbé se planta devant lui. Cette fois il le dominait.

– Arrête tes simagrées, Étienne, puis relève-toi ! On se moque pas de la religion quand on est même pas capable de pratiquer la charité chrétienne !

Bélanger se remit sur pied, géant fragile. Il ne savait plus que faire de son chapeau. Son fils Osias s'étais mis à geindre. Ils s'approchèrent tous du lit.

Le malheureux achevait de s'éteindre. Il ne tenait plus à la vie que par le regard. Il aurait voulu parler

167

mais sa gorge n'émettait plus que des râles. On y reconnaissait peut-être le mot «père». Osias s'adressait-il à celui qui se tenait à son chevet ou cherchait-il déjà à entrer en contact avec l'entité de l'au-delà ?

L'abbé Tessier se signa et se mit à prier en latin. À genoux, Juliette tricotait des invocations entre ses lèvres serrées. Face à la mort probable, le père Étienne resta debout, sans chapeau, la tête inclinée.

Pendant ce temps, Henri et Mathilde longeaient la berge de l'île où des saules et des épinettes couraient côte à côte. Ils laissèrent d'abord le silence reprendre contenance. Ils s'assirent sur une roche plate.

— Si nous étions dans un roman, commença Henri, je ferais ricocher des cailloux sur l'eau.

— Et moi, renchérit Mathilde, je mettrais mon chapeau dans l'herbe et je prendrais ta main.

— Mais nous ne sommes pas dans un roman, enchaîna Henri, et ce que j'ai à dire est bien difficile.

Mathilde le regarda dans les yeux.

— Il y a juste deux choses que tu peux vouloir me dire. D'une façon comme d'une autre, j'ai peur.

— Toi, fit observer Henri, tu dis toujours que tu as peur, et quand vient le temps de se battre, tu as du courage pour deux.

Mathilde sourit. Henri ne s'en aperçut pas. Il cherchait son chemin en lui-même.

— Ce n'est pas facile, lâcha-t-il. Tu te souviens la première fois que je suis venu ici ? Je m'étais foulé la cheville. Avant même de savoir où j'avais mal, tu as instinctivement porté tes mains à ma cheville. Entre toi et moi, il y a sans aucun doute des connivences qui nous dépassent.

Mathilde se taisait. L'évidence parlait d'elle-même.

– C'est un signe, continua Henri. Nous devons en tenir compte.

Mathilde fixait son regard sur l'autre rive comme si la réponse aux questions qui lui battaient les tempes devait venir de là. Elle frémissait intérieurement. Elle serra la main d'Henri. Celui-ci crut qu'elle voulait l'encourager à poursuivre, mais Mathilde souhaitait de tout son cœur retarder le moment qu'elle attendait tant.

– Il s'est passé beaucoup de choses entre nous en très peu de temps. Des moments de bonheur et des événements tragiques. Plus qu'il n'en faut pour bien nous connaître. J'ai l'impression de vivre avec toi depuis plus d'un an.

– Ça t'a paru si long ? se moqua Mathilde.

– Pas assez justement. Je voudrais que ça continue.

Il venait d'entrouvrir la porte. Par l'entrebâillement, on entendrait sûrement battre le cœur de Mathilde. Elle dit n'importe quoi pour en couvrir le vacarme.

– On n'a pas de maison !

– J'en ai une !

– Où ça ?

– En France !

– Tu y penses pas ?

– Si. Elle t'attend depuis une quinzaine d'années déjà.

– Moi ?

– À vrai dire, elle ne savait pas ton nom. Moi non plus d'ailleurs. Il a fallu que je vienne ici pour l'apprendre.

– Moi en France ? protesta Mathilde. Je sais pas parler, je sais pas marcher, je sais pas m'habiller, je sais pas mettre la table avec beaucoup de couteaux et de fourchettes, je sais pas...

– Tu ne t'en vas pas à la cour de Louis XIV! l'interrompit Henri. Je t'emmène dans mon Gers. À sa façon, c'est une autre île à Bélanger.

– Qu'est-ce qu'ils vont dire de moi, tes amis?

– Je te présenterai à mon père.

– Je pense que je perdrais connaissance en le voyant!

– Il te parlera des oiseaux, il te montrera son jardin, c'est tout ce qu'il lui reste... avec un peu de tendresse.

– T'as des frères et des sœurs?

– Non.

– Ça me rassure.

Henri prit Mathilde aux épaules. Ses nattes virevoltèrent. Son menton tremblait.

– Veux-tu devenir ma femme?

Cette fois Mathilde pleura pour de bon. Il l'embrassa pour goûter son bonheur salé.

– Tu ne m'as pas répondu, fit-il observer.

Elle l'embrassa avec encore plus de fougue. L'instant d'après, ils marchaient sur le sentier en remontant la côte. Ils longèrent le potager, main dans la main.

– Il y a une seule objection, dit Mathilde à voix basse, ça dépendra de ce qui arrivera à Osias.

Henri s'arrêta et la retint.

– Ce n'est pas ton frère que je veux épouser, c'est toi!

– S'il meurt?

– Ce sera une grande tragédie.

– Qui va s'occuper de mes parents?

Henri la pressa contre lui.

— Tu ne peux pas consacrer le reste de tes jours à servir tes vieux parents ! Ce n'est pas ce que nous enseigne la vie ! Avec moi ou avec quelqu'un d'autre, il faudra bien que tu partes d'ici !

— Ils s'en remettront pas !

— Et toi, insista Henri, tu crois que tu fleuriras à l'ombre de la mort ? Si Osias meurt, il ne te restera plus qu'à donner son nom à ton premier enfant.

Mathilde se figea. La vie et la mort coulaient ensemble dans son sang. Elle se remit à marcher en direction de la maison. Henri se tenait à son bras.

En entrant, ils surent que le pire était arrivé. Tout le monde à genoux au chevet d'Osias. Le silence des catastrophes. L'odeur soulevait la dépouille. Les amoureux s'arrêtèrent sur le seuil. Henri mit la main sur l'avant-bras de Mathilde et lui glissa à l'oreille :

— Cette fois, c'est pour toi que tu te bats.

13.

Mathilde actionnait la chasse d'eau. Dès qu'Henri avait le dos tourné, elle entrait dans le cabinet de toilette, appuyait sur la chasse et regardait l'eau tourbillonner et disparaître. Un sourire illuminait son visage. Elle se faisait une fête avec l'eau courante. On l'avait vêtue et coiffée. Elle ressemblait aux illustrations qu'elle avait vues parfois dans certains numéros du *Nouvelliste* que l'un ou l'autre des membres de sa famille rapportait dans l'île, une robe fleurie à manches bouffantes et des chaussures noires à courroies nouées sur la cheville. Elle avait sacrifié ses nattes pour un chignon, mais n'avait pas encore consenti à l'usage du maquillage. Sa démarche gardait l'élasticité acquise sur les sentiers de la forêt. Ses yeux surtout ne mentaient pas. Ils buvaient tout ce qu'ils voyaient avec un franc appétit.

Pour préserver les convenances, Henri avait retenu une chambre à deux lits. Une profusion d'objets les encombrait, des vêtements, des valises, des livres et une boîte à chapeau. Mathilde en soulevait le couvercle muni d'une poignée et elle joignait les mains sur sa poitrine pour admirer, comme elle l'aurait fait pour un petit animal en cage, un canotier à larges bords décoré de fruits et d'un oiseau. Elle n'avait pas encore osé le mettre sur sa tête.

L'instant d'après, un brouillard chiffonnait son regard. Elle restait en contemplation devant le couvre-lit. Elle revoyait son père en pensée, vieillard plus vieux désormais que le chiffre de ses jours, fantôme dans son paradis terrestre, trottinant devant une aussi vieille que lui, dans la jungle des framboisiers et le dévalement des choux. La vie vous contraint parfois à pratiquer la pire cruauté à l'endroit de ceux que vous aimez. Pour consoler ses père et mère, Mathilde avait pris un engagement.

— Je viendrai vous montrer vos petits-enfants.

Le bonhomme Bélanger n'avait pas répondu, sa Juliette accrochée à lui. Au moment du départ, les deux vieux s'étaient forcé à sourire. Et maintenant, ils grimaçaient de douleur dans la conscience de Mathilde. Henri la surprit dans son immobilité. Il s'approcha, l'étreignit, lui parla.

— Tu penses encore à eux ? Cela prouve que tu sais aimer. Mais n'oublie pas ce qu'il a dit...

— Je sais, enchaîna Mathilde en se mettant presque à pleurer, il a dit : «Je vous bénis tous les deux et votre descendance que je ne connaîtrai pas. »

— Cet homme a beaucoup de grandeur, affirma Henri.

Et pour empêcher Mathilde de pleurer pour de bon, il l'embrassa. La porte s'ouvrit. Tessier entra suivi du fidèle Ernest.

— Batêche ! s'exclama l'abbé, vous allez finir par vous user à force de vous donner des becs ! Grouillez-vous, on va être en retard !

Henri vint à sa rencontre. Depuis les récents événements, il voyait un frère en cet ecclésiastique débonnaire.

– J'ai franchement du regret de partir.

Puis un regard à Mathilde qui refermait sa boîte à chapeau.

– D'un autre point de vue, j'ai l'impression de naître une seconde fois.

Ernest descendit les bagages pendant qu'Henri réglait la chambre. Le hall du Château de Blois ronronnait sous la moquette et les tentures bleues. Aucune comparaison avec le prestigieux monument du même nom de la vallée de la Loire. Ici, le château n'était qu'un gros hôtel de bois de bonne ville de province et portait le patronyme de son propriétaire, un homme avenant aux cheveux gominés qui prenait personnellement congé de chacun de ses clients.

Ils s'entassèrent dans la Nash, Ernest au volant, l'abbé à ses côtés, Mathilde et Henri sur la banquette arrière, la boîte à chapeau entre eux. Une matinée radieuse. L'air sentait l'été.

Les rues des Trois-Rivières défilèrent, Laviolette que dominait le Séminaire, Saint-Maurice déjà plus besogneuse puis le pont qui franchissait en deux sections le delta de la rivière. La municipalité du Cap-de-la-Madeleine étira ses maisons ouvrières puis la campagne s'ouvrit avec ses champs, ses clôtures, ses fermes et sa route sinueuse dont le tracé remontait au temps des Seigneuries. Devant plusieurs habitations on voyait un étalage de tapis tressés et de courtepointes colorées à l'intention des touristes américains. Le Québec offrait sa ruralité en dot à l'Amérique. L'église de Sainte-Anne de la Pérade dressa ses deux clochers au cœur du village. L'abbé se découvrit et se signa.

– C'est ma petite patrie, annonça-t-il. J'ai été baptisé là.

Ils roulaient depuis une heure. La route longeait le long ruban régulier des clôtures de perches.

– Batêche ! que c'est beau ! ne put s'empêcher de dire encore une fois l'abbé. Remplissez-vous les yeux avant de partir ! Vous êtes pas près de revoir ça de sitôt !

Mathilde n'avait pas ouvert la bouche depuis le départ. Elle regardait le paysage, les mains croisées sur les genoux, et son regard avalait les images.

– Attends de voir le Gers ! insistait Henri, ses villages ocres, ses toits de tuile, ses clochers d'ardoise, ses halles et ses donjons, les abbayes, les châteaux sur les corniches, un pigeonnier, un moulin à vent, les fermes cossues, les sauvetées. Je te montrerai des ruines romaines que personne ne connaît. Je t'emmènerai assister au gavage des oies chez mon ami Arthur Lamothe à Saint-Mont. Un paysan pas comme les autres, celui-là, il lit des livres en dégustant de l'armagnac. Nous en avons déjoué des gardes-pêche ensemble. Il a tellement de choses à dire, mon ami Arthur, qu'il roule les mots dans sa bouche comme les cailloux d'un torrent. Je te mènerai aux courses de vaches à Nogaro. Tu verras l'écarteur. Il tient un mouchoir à la main. Il met les deux pieds dans son béret pour s'entraver. Il crie « Hue ba ! » La bête fonce. L'écarteur la fait passer dans son dos. La foule frémit. Tu verras.

Mathilde n'écoutait pas. Elle quittait son pays avant de l'avoir connu. Aux prises avec un présent chargé de découvertes, elle ignorait l'avenir.

Les hauteurs de Donnacona puis Neuville. Le fleuve s'élançait vers la mer. On voyait à peine l'autre rive. Bientôt ils furent en vue du pont de Québec.

176

– Il est tombé deux fois, s'amusa à relever l'abbé Tessier, mais faites-vous en pas, ils l'ont bien rafistolé.

Pendant sa traversée, Mathilde prit la main d'Henri dans la sienne. Elle ne la quitta plus. En entrant dans la ville, Mathilde se sentit écrasée sous le poids des édifices qui bordaient le boulevard Laurier. Il se s'agissait pourtant que d'immeubles de briques sombres de trois ou quatre étages, mais leurs façades contiguës la laissaient perplexe.

– Où c'est qu'ils font leur jardin ?

– En arrière, dans la cour, précisa l'abbé, mais tout le monde n'en a pas. Les gens des villes vont au marché.

Mathilde s'était redressée sur le bout de la banquette. Elle pointait une langue rose entre ses lèvres comme une écolière appliquée à sa leçon. L'abbé tira sa montre du gousset de sa soutane.

– On a encore un quart d'heure. Ça va être juste. Grouille-toi Ernest !

En entrant dans la Grande-Allée, la ville se resserra sur eux, les immeubles un peu plus hauts, les façades plus étroites, des fenêtres et des corniches, des toits aigus et des cheminées. La forêt urbaine. Partout des drapeaux, l'Union Jack et le tricolore de la France, les Canadiens français partagés, pour célébrer leur identité, entre leurs deux appartenances.

Puis le Parlement se dressa devant eux avec ses toits de cuivre verdi. Une mer humaine couvrait les parterres. Des policiers déviaient la circulation vers les rues transversales. Ernest ne trouvait pas à se garer. L'abbé fulminait.

– Tu vas nous faire manquer la parade !

– Je fais ce que je peux !

– C'est pas encore assez !

Le chauffeur parvint à insérer la Nash entre deux mastodontes et ils partirent à pied vers la Grande-Allée. Les trottoirs débordaient. Les gens marchaient dans la rue parmi les voitures.

– Cette fois, j'ai peur pour de bon, glissa Mathilde à l'oreille d'Henri.

– Peur de quoi ? demanda Henri qui feignait d'ignorer le trouble de la jeune femme pour ne pas l'aviver.

– Un renard, tu sais où il va, un loup, tu peux prévoir ce qu'il fera, un ours, tu dois t'attendre au pire, mais ces gens-là, je sais pas ce qu'ils ont dans la tête.

– Dépêchez-vous, les amoureux, lança l'abbé en se tournant vers eux, au lieu de vous dire des secrets !

Il rit de bon cœur et pressa le pas, son Ernest ronchonneur à ses trousses.

– Puis toi, ajouta-t-il à l'intention de son secrétaire, chauffeur et homme à tout faire, arrange-toi pour pas te perdre comme la dernière fois, qu'on soit pas obligé de t'attendre !

Une haie humaine, dense et grouillante, bordait la Grande-Allée, des enfants sur les épaules de leur père, brandissant de petits drapeaux, des femmes à grand chapeau bouchant la vue à ceux qui se tenaient derrière elles, des gamins courant entre les jambes des adultes, et des travailleurs endimanchés, emplissant bien leur costume, occupant avec autorité les trottoirs de la Haute-Ville qu'ils ne fréquentaient pas d'habitude. L'abbé joua du coude et parvint à entraîner Mathilde presque au premier rang. Elle avait lâché la main d'Henri qui devait se trouver quelques rangées plus bas en compagnie d'Ernest.

L'abbé l'inondait d'un flot d'explications. Elle étouffait.

– J'imagine que chez vous, dans l'île à Bélanger, vous faisiez un grand feu de joie à la Saint-Jean ?

Mathilde opina docilement de la tête.

– Ça, ma fille, c'est une coutume vieille comme le monde. Les païens la pratiquaient déjà avant nous pour célébrer le solstice d'été. C'est Ludger Duvernay, un grand patriote, ton père a dû t'en parler, qui a décidé en 1834 que les Canadiens français auraient leur fête comme les autres. Les Français, c'est la prise de la Bastille, les Irlandais, la Saint-Patrick, nous autres, c'est la Saint-Jean-Baptiste. Puis tu vas voir à part ça qu'on donne pas notre place !

Un fracas assourdissant coupa la parole à l'abbé. Une fanfare s'était approchée silencieusement. Elle s'était immobilisée devant l'endroit où se tenaient Mathilde et son guide. La grosse caisse donna le coup d'envoi du défilé. Mathilde se boucha les oreilles avec les mains et resta dans cette position jusqu'à la fin.

Les corps de musique se succédaient. Les notables paradaient dans des voitures décapotables. Des chars allégoriques tirés par des tracteurs de ferme passaient comme des images de rêves. Les mâts de la Grande Hermine de Jacques Cartier parurent en premier. Des écoliers, vêtus de costumes de matelots, en occupaient le pont factice. Sur le gaillard arrière, Jacques Cartier tenait le regard fixé sur l'horizon. Puis Frontenac, la tête recouverte d'une perruque frisée, répondit aux Anglais par la bouche de ses canons, comme il se devait. Suivirent les colons, au son des vieilles rengaines de France, qui abattaient leur cognée sur des troncs démesurés pour marquer l'avancée de la civilisation sur le continent. En dernier lieu, dans l'éclat des fanfares et sous les applaudissements des spectateurs, parut le petit saint Jean-Baptiste, frisé comme son mouton, la main dans la toison de sa bête docile. Il portait bien haut une croix symbolisant l'allégeance du Canada français aux valeurs de la foi.

Sitôt le dernier char passé, la foule se dispersa comme une eau après l'ouverture des vannes d'un barrage. Mathilde et l'abbé Tessier furent emportés. Les rues débordaient, les parterres piétinés, les perrons pris d'assaut. Mathilde avait perdu Henri de vue. Ernest avait disparu.

– De toute façon, décréta l'abbé, on pourra pas partir d'ici avec l'automobile avant une demi-heure, le temps que tout ce monde-là vide les rues. Inquiète-toi pas pour ton Henri, je lui ai dit, si on se perdait, qu'il m'attende à l'auto. Tu vas venir avec moi, je veux te montrer quelque chose pendant qu'on est là.

Il l'entraîna au-delà d'une porte massive de pierres qui se prolongeait en muraille, dans une rue étroite pleine de monde elle aussi, vers un château, un vrai, avec ses tours et ses hautes toitures dominant la ville.

– Le château Frontenac, annonça l'abbé avec fierté. C'est les Anglais qui l'ont construit, mais c'est nous autres, les Canadiens français, qui le faisons marcher. Viens voir.

Il pressa le pas sous une voûte sonore. Ils passèrent devant l'entrée majestueuse où des portiers en livrée accueillaient des belles dames et des messieurs, et débouchèrent sur la lumière. Une vaste terrasse de bois dominait le fleuve. En face, la ville de Lévis s'accrochait à sa falaise. Un traversier lent comme un goéland franchissait le fleuve étroit à cet endroit. Plus loin vers l'est, à travers le halo de chaleur, se dessinait la proue de l'île d'Orléans.

– C'est là qu'ils se sont installés, les premiers, commenta l'abbé.

Mathilde n'écoutait pas. Elle ne voyait rien. Une bête hors de ses sentiers. Elle ne reprit souffle qu'en vue de la voiture. Ernest et Henri les attendaient, adossés à la tôle chaude. Le chauffeur se permit de houspiller son patron.

– Hein ! qui c'est qui s'est perdu ?

– Je vous ai enlevé votre fiancée une minute, expliqua l'abbé à l'intention d'Henri, j'espère que vous m'en voulez pas trop. Vous allez l'avoir pour vous tout seul le reste de vos jours, aussi profitons-en pendant qu'elle est encore avec nous autres !

Mathilde allait se jeter dans les bras d'Henri. Elle se retint. Il y avait trop de monde aux alentours. Une demi-heure plus tard, la Nash pénétrait dans l'allée menant à Spencer Wood.

Une forêt touffue en pleine ville. On entendait le chant des oiseaux par-dessus le bruit du moteur. Une centaine de voitures garées devant une imposante demeure de bois blanc.

– À Washington, exposa l'abbé, ils ont leur Maison-Blanche. Nous autres, on a la même, mais en plus petit. Seulement elle nous appartient pas tout à fait. Elle est au Fédéral.

Les portes doubles étaient grandes ouvertes. Ils les franchirent avec respect. Un huissier ganté les attendait. L'abbé lui glissa deux mots à l'oreille.

– Monsieur et Madame Henri Ramier, annonça l'huissier d'une voix retentissante.

Mathilde jeta un regard autour d'elle comme si elle craignait d'être dénoncée pour imposture. Pendant qu'on l'introduisait à son tour, l'abbé souffla quelques mots d'avertissement dans le dos de Mathilde et d'Henri.

– Regardez où vous mettez les pieds ! C'est pas le moment de s'enfarger dans les fleurs du tapis !

Un homme en grand apparât serrait la main de chacun des invités. À ses côtés se tenait une espèce de soldat d'opérette sans doute chargé de le protéger.

– Qui c'est ? demanda Mathilde.

– Le représentant du Roi.

Mathilde n'aurait jamais cru se trouver un jour en présence d'un personnage aussi considérable, et celui-là ne manquait pas de prestance. Grand, droit, fier, la crinière blanche, vêtu d'un complet gris à gilet, Esioff Patenaude ressemblait à un Anglais. Il avait servi les Conservateurs d'Ottawa. Pour le récompenser, on lui avait confié cette fonction honorifique. Il dirigeait symboliquement les destinées de la province de Québec, mais ne sortait de sa résidence que pour inaugurer le Parlement. Mathilde attendit qu'Henri fût à ses côtés pour aborder le représentant du Roi.

Esioff Patenaude serra d'abord la main d'Henri. Son tour venu, Mathilde se jeta à genoux et baisa la main de leur hôte avec onction, comme elle savait qu'on devait le faire pour un évêque. Un représentant du Roi appelait sûrement les mêmes égards qu'un prélat. Un début de commotion se produisit. Ceux qui venaient derrière Mathilde reculèrent pour se dissocier de sa personne. Des remarques formulées à voix basse sifflèrent. Un éclat de rire mal contenu. Esioff Patenaude lui-même s'empressa de relever Mathilde.

— Vous me faites trop d'honneur, Madame !

Mathilde allait s'excuser. Henri l'entraîna plus loin. Deux grands salons s'ouvraient en enfilade. Les invités du Lieutenant-gouverneur de la province de Québec célébraient à leur façon la fête des Canadiens français en buvant du vin frais et en grignotant des hors-d'œuvre. La rumeur des conversations emplissait les lieux. Mathilde, Henri et l'abbé Tessier jouèrent du coude pour se frayer un chemin vers le buffet. Ernest était resté dehors. Les chauffeurs ne sont jamais invités chez le Lieutenant-gouverneur. Un garçon présenta un plateau à Mathilde. La jeune femme prit une bouchée au caviar dans sa main, l'examina, la déposa, en choisit une autre au pâté, changea d'avis une seconde fois et opta enfin pour un canapé sur lequel reposait une sardine.

Pendant ce temps, dans le jardin, entouré de curieux et de fidèles, le Premier ministre Duplessis venait de faire une rencontre qui l'amusait beaucoup. Il fit signe à l'un de ses lieutenants d'aller remplir son verre de gin avant d'aborder celui qui venait vers lui.

Félix Métivier avait lui aussi aperçu Duplessis. Il tendit une main dont le Premier ministre s'empara pour la lui tordre dans une joute amicale.

— Comme ça, mon Ti-Félix, ça l'air que t'aimerais ça te faire battre par moi aux prochaines élections ? C'est un grand honneur que tu me fais là ! Les Libéraux sont assez à terre qu'ils trouvent personne pour essayer de me barrer le chemin. Ça devient ennuyant des élections pour la forme, mais là, avec un gars comme toi, je te cache pas que je vais être obligé de me retrousser les manches. Tu veux que je te dise un secret, mon Ti-Félix ? La bataille, moi, ça me stimule. Quand on pile sur la queue du lion, faut s'attendre à l'entendre rugir ! Ça fait que si tu vires pas ton capot d'ici ce temps-là, on va se retrouver sur les *hustings* aux Trois-Rivières.

Et Duplessis planta là son adversaire éventuel pour aller serrer d'autres mains, s'enquérir des oreillons des enfants et de la santé des grands-mères. Métivier n'avait pas l'habitude d'être le jouet des gens et des événements. Depuis la mort de son père, il prenait la vie à bras-le-corps et ne se couchait jamais sans s'être assuré d'avoir tracé dans sa tête le programme du lendemain. Il laissa le garçon verser de la citronnade dans son verre et fit quelques pas pour retourner dans les salons. Sa moustache était agitée d'un tic de mauvaise humeur. Il aperçut d'abord l'abbé Tessier puis Henri Ramier. Il s'avança vers eux.

– Qui est-ce que je vois là ? dit-il d'un ton enjoué. Monsieur Ramier et son abbé ! Si j'avais su que vous étiez invités, on aurait pu s'en venir ensemble.

Henri tourna la tête vers Mathilde. La jeune femme tenait une assiette à deux mains. Elle avait sectionné la queue de toutes les sardines qu'elle avait mangées. Les petites excroissances noires marquaient le pourtour de la porcelaine blanche. Elle sourit. Henri la prit par le bras et la fit avancer dans le cercle.

Métivier plissa les yeux. Mathilde le salua d'un bref signe de tête. L'entrepreneur lui rendit la politesse, puis il tourna le regard vers Henri. Celui-ci tira sa pipe de la poche de son costume comme il le faisait dans les circonstances délicates. Il la tint entre ses doigts comme un talisman.

– Nous allons nous marier, dit-il.

Métivier ne broncha pas. L'abbé en remit pour faire bonne mesure.

– Ils s'embarquent demain pour la France.

Métivier joua avec ses joues comme pour en tester l'élasticité. Il faisait très chaud dans le salon. Quelqu'un heurta Ramier du coude en passant. Le peintre se tourna brusquement comme si on l'avait agressé.

– Je suppose que vous avez pas besoin de mon avis, commença Métivier.

– Je sais très bien ce que vous pensez, répliqua Ramier.

– Vous savez pas tout, rectifia Métivier.

– Il me semble, intervint l'abbé, que c'est pas le moment de laver votre linge sale !

Métivier ignora l'objection. Son verre l'encombrait. Il le déposa sur le plateau d'un garçon qui passait. Il dut, par la même occasion, se défendre contre l'insistance du serveur qui voulait lui en apporter un autre. Mais l'incident ne l'avait pas détourné de son idée.

– Non, vous savez pas tout, reprit-il. J'ai repensé à ça. Je me suis demandé pourquoi ça me brûlait de vous voir ensemble tous les deux. Tous les arguments qui me venaient à la tête étaient pas bons. C'est pas vrai qu'un homme de cinquante ans ne peut pas aimer une femme plus jeune que lui ! Il y a même des cas dans l'Ancien Testament. C'est pas une raison non plus de les empêcher de s'aimer parce qu'ils viennent pas du même milieu ! Si on veut qu'un jour il y ait moins de différence entre les gens, faudrait peut-être commencer à les laisser se mêler un peu. D'un autre côté, ça ne change rien qu'un soit Français puis l'autre Canadienne française ! Il y a du Français dans les deux. J'ai retourné ça dans ma tête.

Maintenant qu'il n'avait plus de verre, il ne savait plus que faire de ses doigts. Il fourra ses mains dans les poches de sa veste. On aurait pu prendre pour de la provocation cette attitude qui cachait de la nervosité. Mais Métivier n'était pas homme à s'arrêter en chemin. Il lâcha la phrase qui lui pesait.

– Je me suis aperçu que c'étaient des vieilles idées qui ne tenaient plus debout à force d'avoir servi.

Il se tut. Il en avait déjà dit beaucoup pour un taciturne de son espèce. Il conclut sur une boutade.

– Si j'avais su, j'aurais apporté un cadeau !

Pris d'une inspiration subite, il alla chercher un lys dans un vase et l'offrit à Mathilde. Pendant que la jeune femme se cherchait une contenance, l'entrepreneur forestier fouilla dans la poche de son pantalon. Il en sortit un petit canif à manche de nacre.

– Tenez, dit-il en le remettant à Henri, un gars est jamais mal pris avec ça.

Mathilde et Henri regardaient leur cadeau comme des écoliers à la cérémonie de remise des récompenses de fin d'année. Métivier les prit par le bras. Il leur dit à voix basse :

– Prenez bien soin de vous, on sait pas ce qui peut arriver.

Ils restèrent ainsi soudés tous les trois, un petit moment encore.